# Pieza
# *Perdida*

## Lee Ezell

**Vida**
*Dedicados A La Excelencia*

Editorial Vida es un ministerio misionero internacional cuyo propósito es proporcionar los recursos necesarios para evangelizar con las buenas nuevas de Jesucristo, hacer discípulos y preparar para el ministerio al mayor número de personas en el menor tiempo posible.

ISBN 0-8297-1880-X
Categoría: Biografías / Testimonios

Este libro fue publicado en inglés con el título
*The Missing Piece* por Servant Publications

Traducido por Carmina Pérez

Cubierta diseñada por Michael Andaloro
Ilustración por Martin Soo Hoo

Con amor
a mis tres hijas.
A Julie,
cuyo nacimiento despertó
mi vida espiritual,
y a Pam y a Sandi,
que me ayudaron a vivirla.

Muchas gracias a Al Janssen
y a Kin Millen,
que me ayudaron a juntar las piezas
del rompecabezas de esta historia.

Esta es una historia verídica.
La he escrito para ofrecer esperanza
y despertar la fe de los que necesitan
descubrir la paz de Dios
a pesar de sus piezas perdidas.

Lee Ezell

# Índice

# Índice

# La búsqueda

La tormenta de nieve empeoraba al avanzar la tarde, retrasando la llegada del cartero. El perpetuo hielo invernal sobre los caminos del norte del estado de Michigan estaba cubierto de nieve que llegaba hasta la altura de los ejes de los autos. Durante varios días una joven madre, que había terminado su enseñanza secundaria hacía sólo dos años, había esperado incansablemente un sobre que la ayudaría a completar su búsqueda.

Era realmente una búsqueda. No podía llamarse una investigación; eso sonaba demasiado oficial. Ella se proponía que fuera sistemática, persistente y considerada. Si constituía una amenaza para cualquiera, la suspendería.

Cargando a su hija en un brazo mientras calentaba el biberón de leche sobre la estufa con el otro, Julie divisó al cartero cuando se detenía en el buzón del vecino calle arriba. Se aceleró su pulso.

*¿Se detendrá aquí?*, se preguntó. *¡Señor, que sea éste el día! Sesenta segundos más y lo sabré.*

La camioneta de correo se abrió paso en la nieve, despidiendo una estela blanca, hasta que se detuvo junto al buzón colgado sobre la orilla del camino. Con

...abrigo y bebé, Julie caminó con dificultad
...bre la nieve hasta el camino, sabiendo que el hecho
de que la camioneta se hubiera detenido no significaba que había respondido ALMA.

Después de sacar un puñado de sobres del buzón,
se detuvo y lo separó, mientras la finísima nieve las
cubría suavemente a ella y a su bebé. *¡Aquí está:
Asociación del Movimiento de Libertad de los Adoptados!
¡Gracias, Dios!*

Dentro de nuevo y sentada a la mesa de la cocina,
abrió el sobre, sacó las cuatro páginas y comenzó a
leer:

> ¡BIENVENIDA! Es un placer saber de us-
> ted. Nuestro personal está formado por vo-
> luntarios dedicados que ya han concluido su
> propia búsqueda. Todos nosotros estamos
> conscientes del enorme paso que usted está
> a punto de dar para comenzar su búsqueda.
> Entendemos sus sentimientos y su deseo de
> conocer la verdad acerca de su origen.

Al comenzar a leer, su atención fue interrumpida
por pensamientos acerca de la familia que la había
criado y de sus padres de nacimiento y de cuáles
serían las experiencias que pudiera acarrear esta búsqueda. Recordó el momento en que ella tenía apenas
siete años y se enteró de que era "diferente". Una
compañerita de juegos le dijo que era adoptada. Precisamente por la manera burlona en que lo dijo, Julie
pudo percibir que "adoptada" no era un término
afectuoso.

Durante su niñez sus padres, durante momentos
afectuosos, le habían dicho a Julie que ella era espe-

cial. Ella era el deseo de sus corazones porque la habían escogido, pero al mismo tiempo nunca mostraron favoritismo ni hacia ella ni hacia sus otros hijos. ¿Significaba realmente el ser adoptada que era diferente? Si era así, ¿en qué sentido?

Como si hubiera sido ayer, la imagen mental se proyectó en su mente: llorando había entrado en la casa y corriendo hacia su madre le había preguntado qué significaba ser adoptada. Su madre la había tomado en su regazo y amorosamente le había dicho que ser adoptada significaba que era una niña especial, una hija escogida; ciertamente, no tenía por qué avergonzarse del hecho. Entonces ella le había preguntado a su madre por qué su otra madre la había regalado.

le había dicho su madre.

Pero a esa edad era muy difícil entender eso.

Y ella *era* amada. No habrían padres biológicos que pudieran haberla amado más que sus padres adoptivos. Crecer en un hogar como éste lleno de amor, de buenos tiempos familiares y de respeto era la perfecta crianza para cualquier niño. Había los recuerdos de una niñez con padres amorosos, de dos hermanos mayores protectores que todavía jugaban con ella, de muchas excursiones campestres juntos y de actividades de la iglesia. Añadido a eso, sus padres la consentían dándole muchos de los deseos de su corazón . . . hasta su propio caballo. No había ninguna duda en la mente de Julie de que ésta era su familia, la familia perfecta para ella.

En esta tarde invernal, la emoción de Julie amenazaba con interrumpir su concentración. Pero no debía permitirlo. Ella no quería lastimar a las personas más importantes de su vida: sus padres, sus dos hermanos, sus familiares y sus amigos. Debía pensar bien las cosas. ¿Qué efecto tendría esta búsqueda en ellos? ¿Reconocerían su creciente deseo de saber acerca de su herencia biológica? ¿Podría su familia entender lo importante que esto era para ella? ¿O sus acciones harían que se sintieran rechazados?

Pero no se podía suprimir la curiosidad natural de Julie acerca de su árbol genealógico; inevitablemente resurgiría otra vez. Ella se preguntaba cuáles de sus características personales serían producto de su naturaleza y cuáles producto de su crianza. A su mente venían preguntas acerca de su madre de nacimiento: *¿Está viva? ¿Es posible que la haya visto alguna vez? Si es así, probablemente haya sido en California antes de mudarme. ¿Me parezco a ella? ¿Tiene talento musical como yo? ¿Por qué me dieron en adopción? ¿Estaban mis padres casados? ¿Estaba mi madre de nacimiento en la escuela y querría terminar sus estudios? ¿Era ella incapaz de proveer un hogar para mí? ¿Pensará alguna vez en mí en el día de mi cumpleaños? ¿Tengo hermanos y hermanas? ¿Cuánto de mi persona he heredado? Nadie puede contestar estas preguntas sino mi madre de nacimiento.* Aunque Julie vivía con estas incertidumbres acerca de su pasado y su identidad, nunca se sintió como una hija de segunda clase. Sin embargo, esto no acallaba su sentimiento de que, cada vez que miraba a su pasado, era como tener un ojo tapado.

Las respuestas a estas preguntas personales no eran la única razón de la búsqueda de Julie.

*Hay cosas que quiero decirle a mi madre de nacimiento: Mamá, estoy perfectamente bien. No te aflijas. Sé que necesitaste valor para entregarme a otra familia. Y fue la decisión correcta. Me diste unos padres excelentes.*

Después que Julie se casó, aumentó su deseo de saber más acerca de sus antecedentes biológicos. No quería que la historia de sus hijos estuviera incompleta. Y el nacimiento de su hija pelirroja provocó nuevas preguntas. ¿De dónde venía el cabello rojo? ¿De su madre de nacimiento? ¿Conocería ella algunos datos médicos que podrían algún día salvar su vida o la de su hija?

Julie estaba todavía preocupada acerca de la reacción de su familia adoptiva que le había dado tanto. En su manera quieta y sencilla le habían mostrado los valores cristianos, le habían dado amor incondicional y le habían provisto una vida hogareña que la había preparado para enfrentar su edad adulta. Estos pensamientos hicieron sonreír a Julie. En algunos aspectos de su vida seguía el ejemplo de su mamá; hasta había enseñado la clase de las niñas primarias en la escuela dominical como lo hacía mamá cuando ella era jovencita.

Los ruidos de la bebé despertándose hicieron a Julie poner a un lado el paquete de su búsqueda. El resto de la tarde estuvo lleno de las usuales tareas domésticas: atender a la bebé y preparar la casa para cuando su esposo regresara del trabajo.

Cuando vio las luces de su auto reflejándose en la blancura del camino cubierto de nieve, Julie quería correr afuera y contar sus noticias acerca del paquete recibido. Pero sabía que Bob estaba cansado y no quería ser bombardeado con estas noticias después del trabajo, así que permaneció en la cocina preparando la cena. Después que Bob había sacado a la bebé del redil, fue a la cocina y saludó a su esposa con un beso. Julie puso la cuchara a un lado, lo tomó por la cintura, y haciéndole una caricia a la bebé, le dio la noticia a su esposo.

— Bob, recibí el paquete de la búsqueda que le pedí a ALMA. ¿Quieres ver lo que trae?

— Me había olvidado de eso.

— ¡Que se te había olvidado!

— Yo me casé contigo por todo lo que eres, no por tus antepasados. Desde luego que recuerdo cuando escribiste la carta pidiéndolo.

Julie caminó hacia el mostrador de la cocina, donde había puesto la correspondencia, y añadiendo la carpeta que contenía sus papeles de adopción, se lo entregó todo a Bob, quien se sentó a la mesa de la cocina, jugando con su bebé. Julie extendió los papeles sobre la mesa y le explicó el contenido a Bob mientras la bebé jugaba a sus pies.

— Esto nos da un buen impulso para comenzar — dijo Bob.

Notó algo apuntado con lápiz en el margen en sentido diagonal que obviamente no era parte del registro oficial escrito a máquina.

— Quizás estas letras son el prefijo de un viejo número telefónico. Luce como se escribían antes: dos letras y cinco dígitos.

Julie sintió que esto era significativo.

— Bob, no estoy segura de que quiero comenzar la búsqueda. ¿Qué pasa si descubro cosas que realmente no quiero saber? ¿Qué pasa si mi contacto con mi madre de nacimiento vuelve a traerle tristes recuerdos y sentimientos de culpabilidad? No quiero arruinarle la vida ni perturbar su familia. Por otro lado, ¿qué pasa si yo no estoy a la altura de los criterios de mi madre? ¿Qué pasa si ella no quiere conocerme y me rechaza?

— Ese es el riesgo que tienes que correr — replicó Bob —. Pero no tienes que conocerla. Puedes detener la búsqueda en cualquier punto del camino sin alterar su vida. Un nombre y una historia médica de la agencia de adopción podría ser suficiente. Quién sabe; quizás ella ni siquiera esté viva.

— Esto es algo en lo que tendremos que pensar — musitó Julie en alta voz.

Con esto, puso los papeles en una gaveta de la cocina y regresó a preparar la cena.

❊ ❊ ❊

Mientras los días de invierno seguían uno tras otro, Julie de cuando en cuando encontraba un artículo en una revista, un libro o una entrevista en la televisión que mostraba cómo otros adoptados habían realizado su búsqueda. Durante los meses siguientes ella y su esposo oraron pidiendo dirección, y gradualmente sus dudas y sentimientos negativos acerca de los riesgos que enfrentaban fueron reemplazados por confianza y valor para actuar. Hizo llamadas telefónicas, escribió cartas y por sí misma reunió información de abogados y del hospital donde había nacido.

Ahora que estaba más tranquila con su decisión, nuevos pensamientos comenzaron a surgir en la mente de Julie. Sentía una profunda urgencia de decirle a su madre de nacimiento acerca de la fuerza impulsora en su vida. Julie se preguntaba cómo expresaría eso a una persona a quien nunca había conocido, pero a la cual quería. Si encontraba a su madre natural, no quería que sus palabras o acciones la alejaran.

El espíritu de Julie luchaba con el riesgo. No quería perder a su madre adoptiva, pero siempre que tenía dudas, otro pensamiento salía a la luz: *El verdadero amor está dispuesto a arriesgar pérdida y rechazo.* Esta rededicación reavivó la determinación de continuar la búsqueda.

En diciembre de 1984, casi un año después de haber recibido el paquete de ALMA, Julie una vez más hojeó los registros. El viejo número telefónico captó su atención: el momento había llegado. Con renovada confianza, pero todavía nerviosa, Julie levantó el auricular y marcó el número de veinte años atrás.

# 1

# El gran escape

Un autobús común y corriente de la Greyhound debía ser la alfombra mágica que me llevaría a una nueva vida. Dejé que el viento soplara sobre mi rostro a través de una pequeña abertura en la ventanilla a la vez que miraba pasar los verdes campos con los cultivos de maíz y trigo. A mi lado, mi madre había inclinado su asiento para atrás y trataba de conciliar el sueño, mientras al otro lado del pasillo mi dos hermanas menores, Kay y Sue, se reían tontamente jugando con un juego plástico barato que habían comprado en la última parada.

Me sentía como un prisionero que acababa de romper las cadenas de confinamiento y experimentaba sus primeros momentos de libertad. Por diecisiete años había soportado la tiranía de mi padre; pero ahora, en junio de 1962, podía finalmente tomar control de mi propia vida. Aunque habíamos estado en el camino por sólo treinta horas, la Filadelfia que habíamos dejado parecía como otro mundo.

Pensé en la monótona lluvia que había caído cuando nos encaminábamos hacia la estación de autobuses llevando todas nuestras posesiones en unas pocas bolsas. Reflejaba nuestra vida en un desolado barrio pobre de una sección de Filadelfia. Habíamos vivido en una pequeña casa adosada, propiedad de mis abuelos maternos, donde mi madre había nacido y se había criado. Nuestro vecindario era una colorida mezcla de inmigrantes de segunda — italianos, irlandeses, alemanes y polacos — cada grupo aparentemente tratando de hacer más bulla que el otro mientras todos luchábamos por subsistir.

Mi padre me había dicho una vez que su mayor deseo en la vida era tener un hijo. Después de cinco intentos y el mismo número de fallos, admitió su fracaso y se dio por vencido. Cada una de las cinco hijas Kinney recibió un simple nombre de tres letras: Zoe, Ann, Lee, Kay y Sue. En nuestro hogar, cada miembro de la familia era responsable de sí misma, de vencer o morir, de ahogarse o flotar. Si podíamos triunfar por nosotras mismas, estaba bien. Pero no debíamos esperar ayuda de nuestros padres ni de nadie más.

A los catorce años yo había comenzado a trabajar después de las horas de escuela para ayudar con los gastos de la casa. Mi primer trabajo fue en la tienda de variedades del vecindario, cortando el hule que colgaba de rollos sobre la pared. Por esto me pagaban unos muy apreciados veinticinco centavos la hora. Mi escape de las presiones de la casa lo lograba mediante la música y el drama. Había tocado el violín en orquestas de la escuela y en un cuarteto de cuerdas; había cantado en numerosos grupos corales y actuado en el papel principal de varias comedias musicales. Frecuentaba el local del programa musical *Dick Clark's American Bandstand*, donde podía bailar con otros asistentes regulares hasta ahuyentar mi pena.

Tendría que hacer mucho más que esto ahora que me había graduado de la escuela secundaria. Mis dos hermanas mayores, Zoe y Ann, habían logrado encontrar su hombre y escapar a San Francisco y Cincinnati. Ahora el resto de nosotras nos estábamos mudando al oeste para juntarnos con Zoe en California. Una vez más las dudas inundaron mi mente. ¿Estábamos haciendo lo correcto? ¿Debíamos haber dejado a mi padre en la forma en que lo hicimos? ¿Sería yo ahora responsable del bienestar de mi familia? ¿Cómo se adaptaría mi madre, nacida y criada en el este, a la vida en California? Ahora no había cómo volver atrás; sin embargo, no podía evitar preguntarme si lo lamentaría.

¡No! Nada podría ser peor que lo que habíamos dejado atrás. Si la ira desenfrenada de mi padre seis semanas atrás hubiera sido un solo incidente, quizás hubiera podido perdonarlo. Por el día mi padre era pintor de brocha gorda; por la noche, era un recluso en un sótano empapelado con cuadros pornográficos. Allí, en el confinamiento de aquella tenebrosa cueva, bebía hasta hundirse en la inconsciencia. Después de beber durante horas, con las inhibiciones disminuidas y la lengua suelta, emergía de su cueva con una mirada demoniaca en su rostro. Cuando comenzaba a golpear a cualquier miembro de la familia que estuviera cerca de él, era como si un hombre salvaje hubiera saltado de la pantalla de una película de horror. Entonces se volvía contra quien tratara de intervenir y terminaba su rabieta volviéndose contra mi madre, que siempre soportaba la peor paliza.

Las explosiones alcohólicas de mi padre hicieron que todos desarrolláramos actos de desaparición. Mis lugares secretos de escondite eran debajo de mi cama y detrás de las ropas que colgaban en el armario del comedor. Pero ninguna de nosotras podía escapar todas las veces. Una tarde mi padre emergió del sótano con un látigo de nueve ramales que había confeccionado del palo de una escoba y tiras de cuero cortadas de sus cinturones viejos. Este artefacto producía las peores palizas y para cuando entré en la escuela secundaria no era nada raro que mis hermanas y yo asistiéramos a la escuela escondiendo contusiones de la golpeadura de la noche anterior.

En tres ocasiones la violencia había sido tan terrible que yo había llamado a la policía. Desafortunadamente, la violencia doméstica que era tan común en nuestro vecindario no les gustaba a ellos más de lo que me gustaba a mí y sólo respondieron a una de mis tres llamadas. Fue en la última llamada no contestada, sólo seis semanas antes de mi graduación de la escuela secundaria, que yo determiné que ya estaba harta. Mientras papá retrocedía de su último despliegue de furia, yo había gritado a mamá:

— ¡Yo me voy de aquí!

Un par de días después le había dicho a mamá que yo había hablado en serio.

— Tan pronto como me gradúe, me voy.

— ¿Y adónde piensas que vas a ir? — me respondió bruscamente.

— Quizás me iré a vivir con Zoe a California. Quisiera que tú y Kay y Sue vinieran conmigo. ¿Por qué tienen ellas que continuar sufriendo? Ellas no lo merecen, ni tú tampoco.

— No puedo irme. ¿Qué haría tu padre sin mí? Además, yo he vivido aquí toda la vida.

— Mamá, tenemos que irnos. Un día él te va a matar.

Ella se había dado vuelta, incapaz de enfrentar la terrible verdad. Así que yo había llamado a mi hermana y había hecho los arreglos para irnos. Zoe había dicho que ella nos ayudaría a encontrar un apartamento y trabajos. Un subastador vino y recorrió la casa y compró toda nuestro viejo y roto mobiliario. Mamá debe de haberle dado la noticia a mi padre, y de alguna manera, logró desocupar el único hogar que ella había conocido.

— Lee, ¡mira! ¡El río Misisipí!

El entusiasmado chillido de Kay interrumpió mis pensamientos. Para Kay y Sue esto era una aventura. Ellas eran demasiado jóvenes para sentir la responsabilidad de tener que proveer para la familia. Si este plan fracasaba, yo era la culpable, porque era yo la que había presionado para que nos mudáramos. Ellas podían disfrutar libremente del escenario que les traía a la realidad las lecciones de geografía de primaria. Ya habíamos pasado por Harrisburg, Cleveland, Toledo y Chicago. En breve estaríamos cruzando las grandes llanuras en el centro de los Estados Unidos en nuestro camino hacia las montañas Rocosas.

Pocos minutos después estábamos entrando en otro pueblo. Mi madre se volvió mientras el chofer aminoraba la velocidad. Cuando vio deslizándose por mi ventanilla el anuncio azul en luz de neón "Estación de autobuses", sin decir palabra tomó su cartera y se levantó para estirar las piernas. Mientras entrábamos a la sala de espera nos dio a mí y a cada una de mis hermanas veinticinco centavos. Tenía que haber cientos de cosas que se podían hacer con veinticinco centavos: tomarse una foto, comer de la vendedora automática, usar el teléfono. Las niñas se apresuraron a gastar su fortuna en confites mientras mamá y yo caminábamos sin rumbo.

Algunos de los bancos estaban ocupados por vagabundos durmientes, con los residuos de sus botellas de vino barato desparramados sobre el piso. Parecía que nunca se habían recuperado de la Gran Depresión. Un viejo con una chaqueta andrajosa nos divisó y dijo:

— Discúlpeme, señora. ¿Podría disponer de diez centavos para una taza de café?

Mamá continuó caminando, haciendo caso omiso de él, pero yo me detuve, porque ese rostro sin afeitar me recordaba a mi padre. ¿Terminaría mi padre en las calles como un vagabundo sin esperanza, mendigando para conseguir algunas monedas? Rápidamente busqué dentro de mi bolsillo, saqué mis veinticinco centavos y se los dejé caer en la mano. Podía remediarme sin un confite por esta vez.

Unos momentos más tarde regresamos a nuestro autobús.

— Mamá, ¿le dijiste a papá que nos íbamos? — pregunté mientras nos acomodábamos en nuestros asientos.

— Sí — respondió sin mirarme.

— ¿Qué va a hacer él ahora?

— No sé — dijo mientras se reclinaba otra vez en su asiento y cerraba los ojos.

Yo podía adivinar por la manera en que trataba de ocultar sus lágrimas que no podía hablar de eso. Aunque sabía que era mejor para ella y sus hijas, estaba avergonzada de tener que admitir que su matrimonio era un fracaso. El suyo era un dilema cruel: dependía afectivamente de su esposo, pero era incapaz de vivir con él. Su angustia me hizo determinar que yo nunca sería tan "débil".

Mi propia amargura iba disminuyendo cuanto más nos alejábamos de Filadelfia. Mientras el autobús retornaba a la carretera, yo reflexionaba en la desesperanza de aquel vagabundo a quien le había dado los veinticinco centavos. Él era exactamente como mi padre . . . una víctima. Como muchas otras personas de nuestro vecindario, mi padre había resentido su suerte en la vida, pero no tenía manera de salir de ella. Cualquier sueño que hubiera podido abrigar había desaparecido temprano en su vida. Las pocas oportunidades que había tenido las había derrochado. Su ira no resuelta a la larga cambió su personalidad, y los efectos del alcohol exageraron ese cambio. Mi comprensión de la situación no cambiaba el hecho de que yo no podía soportar vivir con él. Pero me motivaba a orar.

Oré muchísimo en ese viaje transcontinental, especialmente cuando empezaba a preocuparme. Era la única manera de hacer frente a la incertidumbre. El plan era vivir con Zoe y su familia hasta que pudiéramos encontrar un apartamento. Tanto mamá como yo teníamos que trabajar. Ella era secretaria legal y yo había tomado cursos de taquigrafía y mecanografía en la escuela secundaria. "Señor, por favor, ayúdanos a encontrar trabajo", yo oraba, y otra vez sentía la seguridad de que Dios me había oído.

No siempre había sido de esa manera. Por muchos años, la poca influencia religiosa que yo había tenido la había recibido en una vieja iglesia de estilo gótico.

Durante la liturgia, los rayos del sol se filtraban a través de los cristales de colores y me hacían sentir santa. Parecía haber un misterio que rodeaba la ceremonia. Sólo el eco ocasional de un susurro o ruido rompía el silencio de aquella nave en penumbras. Esta era la casa de Dios, donde yo suponía que Él vivía, de su manera invisible, con su Hijo y el Espíritu Santo.

Ahora me reía entre dientes al pensar en aquellos primitivos conceptos de Dios que había aceptado sin objeción. Mi idea de Dios se formó alrededor de mi propia noción y lo que me habían dicho otras cuantas personas. Yo pensaba que si podía inclinar la balanza haciendo un poco más de bien que de mal, podría ir derecho al cielo, evitando el infierno y saltando el purgatorio. Pero no tenía manera de saber cuál era mi puntuación. Aunque iba formando mis propias normas de conducta a medida que avanzaba en la vida, había una brecha entre mis creencias y mi práctica. Aparte de la hora semanal en "la casa de Dios", no tenía ninguna relación con Dios.

Aunque en ese tiempo no lo entendía, Dios estaba llevando a cabo su plan para mi vida. Fue ciertamente muy evidente aquella noche destinada, cuando dos amigas y yo no pudimos encontrar una cuarta muchacha para jugar naipes. Decidimos asistir a una campaña evangelística en el centro de convenciones para entretenernos y quizás reírnos un poco. El predicador era un hombre de quien yo nunca había oído hablar: Billy Graham.

Yo todavía podía recordar aquella noche vívidamente. El mensaje de Billy Graham me tomó desprevenida, pues era muy sencillo. Explicó que la Biblia describía a Dios, no como un policía celestial o un juez severo, sino como un Padre que amaba al mundo tanto que dio a — quien murió por nuestros pecados y rescucitó de los muertos — tendría vida eterna.

No había manera que yo pudiera hacer suficientes obras buenas que me hicieran apta para ir al cielo. Dios había establecido claramente que los que recibían a Cristo llenaban los requisitos y el resto eran pecadores, separados de Dios para siempre. No había término medio. Una cosa era segura: yo no estaba "en" Cristo. Por consiguiente, era una pecadora. Yo siempre había pensado que el pecado consistía en hacer cosas malas, tales como robar; pero ahora me di cuenta de que pecado es simplemente negarnos a aceptar la provisión de Dios. La Biblia decía que todos han pecado, pero también que cualquiera que recibiera a Cristo podía ser perdonado y aceptado por Dios como justo, sin importar lo terrible de su pecado.

Esa noche yo rendí mi vida a Dios. Con centenares de personas, me encaminé al frente del auditorio. Una consejera me animó mientras yo oraba y aceptaba a Cristo como mi Salvador. "Querido Dios, gracias por enviar a tu Hijo, Jesucristo, para morir en la cruz y pagar por mis pecados. Ahora creo en ti y te acepto como mi Señor y Salvador. En el nombre de Jesucristo. Amén." Era tan simple, pero tan profundo. Juntas leímos algunos versículos de la Biblia, y ella tomó mi nombre y dirección para que pudiera comenzar a recibir un curso por correspondencia.

Yo sabía que éste era el comienzo de una nueva vida para mí. Mientras viajaba a casa en el tren subterráneo seguía pensando en el versículo que la consejera había leído que decía que yo era una nueva persona, que las cosas viejas habían pasado, que todas las cosas eran nuevas. De alguna manera me imaginé esto sucediendo en el hogar. Las cosas iban a ser diferentes. Papá cambiaría y seríamos una familia feliz. Esa fantasía duró hasta que llegué a casa y traté de abrir la puerta del frente. Mi padre se había desvanecido delante de la puerta y tuve que empujar con todas mis fuerzas para poder pasar sobre él. Puedo recordar todavía mi desilusión, pensando: "Espera un momento, Dios. Este no es el contrato que yo firmé. Nada es nuevo aquí."

Pero mi *vida* era nueva, porque yo estaba hablando con Dios de una manera real por primera vez. Ahora tenía una relación con Dios, no una religión. Ya no tenía que esperar hasta ir a la iglesia para orar. Podía hablar con Él en el tren, o en la escuela, o mientras estaba acostada durante la noche. Dios no estaba cambiando mis circunstancias externas, pero estaba haciendo algunos cambios internos en mí. Ya no me sentía sola.

Hablé mucho con Dios durante nuestro viaje de cuatro días en ómnibus. Mientras dejábamos Sacramento y nos encaminábamos por el último tramo del camino hacia nuestro nuevo hogar, admiraba los espacios abiertos y el tibio brillo del sol que parecía ofrecer la promesa de una nueva vida libre de dolor. "Señor, estamos comenzando de nuevo. Sé que nos vas a cuidar y todo va a salir bien. Gracias por sacarnos de Filadelfia."

Las ventanas del autobús estaban abiertas de par en par cuando sentimos el calor del Valle de Sacramento. Miré hacia mamá con una amplia sonrisa.

— ¡Aquí todo va a ser maravilloso!

No dijo nada, pero se secó la cara con un pañuelo. Entonces noté que no era simplemente sudor. Había lágrimas en sus ojos.

—Mamá, ¿por qué estás llorando?

Ella sacudió la cabeza.

—No sé por qué dejé que me convencieras a mudarme. No hay nada aquí salvo palmas y acuaplanos y un montón de gente salvaje con ideas locas.

Pasando por alto sus conceptos equivocados de California, le recordé:

—Pero piensa que no habrá más inviernos helados. No más medias gruesas ni botas ni abrigos pesados. No tendremos que palear nieve.

—Lee, tú haces que todo parezca tan bueno. No entiendes.

Ella tenía razón; yo no entendía. Y sentí que si ella no se adaptaba, yo tenía la culpa. Traté de tranquilizarla.

—Serás feliz aquí. Te alegrarás de que nos hayamos mudado.

No hablábamos mientras entrábamos en San Francisco y avistamos por primera vez el Puente Golden Gate. Para mí, éste simbolizaba que aquí estaba la tierra de la oportunidad. Aquí nadie nos golpearía. Ganaríamos un poco de dinero y viviríamos una buena vida. Aquí encontraría al hombre de mis sueños, y mi triste niñez en Filadelfia se convertiría en un lejano recuerdo.

Al entrar en la estación de autobuses pude ver a Zoe esperándonos. Ella había triunfado aquí y nosotras también triunfaríamos. Mamá pareció animarse al ver a su hija mayor. En un momento nos estábamos abrazando y no pude evitar pensar: *Lee, has llegado.*

*Piénsalo no más, ¡dentro de unas semanas cumplirás die-*
*ciocho años! Qué momento tan perfecto para que suceda*
*todo esto. Desde luego, habrá algunos ajustes que hacer; pero*
*no va a ser nada que no puedas manejar.*

# 2

# La fantasía de Doris Day

altan cinco minutos para la hora de almuerzo!
—nos recordó Barb, motivándome a hacer un derroche final de energía antes del receso.

Habían pasado varios meses desde nuestra llegada a San Francisco. Había encontrado mi primer trabajo "verdadero" como secretaria de una pequeña compañía fabricante de barcos de vela. El tener un trabajo responsable me hizo sentir importante y aceptada como adulta.

Zoe amablemente nos había soportado a las cuatro en su casa durante unas semanas hasta que nos establecimos. Después que mamá y yo encontramos trabajo, nos habíamos mudado a un pequeño apartamento de dos dormitorios que quedaba a pocas cuadras de mi hermana y su familia. Sin embargo, yo estaba afligida al darme cuenta de que, aunque era verdad que habíamos escapado de la ira de nuestro padre alcohólico, mis hermanas y yo no disfrutábamos de paz total. Había frecuentes encuentros a grito limpio con mamá, y yo notaba con vergüenza que tales peleas no eran comunes en nuestro vecindario. Habíamos cambiado de medio ambiente, pero el medio ambiente no nos había cambiado a nosotras.

Afortunadamente, yo tenía un escape del congestionado apartamento. Me había alistado con la USO y estaba activa ayudando a organizar fiestas, funciones y bailes para los soldados en las bases militares de la zona alrededor de la Bahía de San Francisco. Esto me dio la oportunidad de usar parte de mi energía creativa, especialmente mi afición por el drama y la música, y también de conocer muchos hombres bien parecidos. Yo no estaba particularmente ansiosa de tener relaciones serias con ninguno, pero la experiencia de conocer hombres de todo el país había eliminado parte del cinismo de mi pasado. Estaba determinada a ser una mujer animada, extrovertida y sanguínea que disfrutaba de ser el alma de la fiesta. Estaba dispuesta a ser despreocupada y confiada de la gente que cruzara por mi vida.

— ¡Hora de almuerzo! — dijo Barb.

Rápidamente apagué mi máquina de escribir, tomé mi bolsa de almuerzo y me encaminé con Barb hacia la pequeña sala de conferencias que servía también como salón de estar para los recesos y el almuerzo. Barb era una mujer divorciada de unos veinticinco años que había trabajado para la compañía durante casi dos años. La tercera secretaria era Jean, una mujer mayor casada. Ella estaba en el teléfono y nos hizo señas de que se uniría con nosotras en unos minutos.

— ¡Qué mañana tan ocupada! — dijo Barb mientras se servía una taza de café y se sentaba.

— De veras. Este sí es un pedido voluminoso el que hemos tenido que procesar y todavía me falta mecanografiar las cartas del jefe.

Jean se acercó y anunció mientras se sentaba:

— Malas noticias. Tenemos que trabajar hasta tarde esta noche.

— ¡Ay no, no otra vez! — se quejó Barb.

La nuestra era una compañía pequeña, luchando por subsistir con sólo veinte empleados. Así que todos teníamos múltiples responsabilidades.

— Es ese gran pedido en el que están trabajando ustedes — explicó Jean —. Estarán despachando los barcos esta noche y tenemos que terminar el papeleo.

— Bueno, pues, por lo menos no es viernes — dije riendo.

— ¿Y qué va a pasar el viernes? — preguntó Barb —. ¿Tienes una cita importante?

— Estoy ayudando a preparar un baile para la USO en Oakland.

— ¡Fantástico! ¿Por qué no me buscas pareja?

— ¿Qué es lo que tienes en mente? — pregunté, dándome cuenta de que estábamos entrando en otro de nuestros juegos de "citas" a la hora de almuerzo.

Jean comía en silencio mientras Barb recitaba soñolienta:

— Ah, que tenga ciento noventa centímetros. Fuerte, bronceado. No me importaría si se parece a Burt Lancaster.

— Veré lo que puedo hacer — dije y solté una carcajada.

Jean mencionó que ella pensaba que era fabuloso que yo tomara tiempo para hacer trabajo voluntario para las USO.

— Hay muchas otras cosas que pudieras hacer con tu tiempo.

— A mí me gusta — dije —. Realmente aprecio a estos hombres que se están preparando para pelear por nuestra patria. Muchos de ellos tienen nostalgia de sus hogares. Algunos desearían no haberse alistado nunca. Otros echan de menos a su novia. Necesitan alguien que los escuche simplemente y les ayude a pasar un buen rato.

— ¿Haces uso de tus acentos extranjeros?

— Sí, la semana pasada les obsequié con mi acento hispano.

Entonces continué en una voz más profunda:

— Esta semana pudiera ser una sueca 'provocativa', ¿sí? Pero lamento que no tengo un cuerpo voluptuoso que haga juego con ese acento.

Barb se rió de mi rápida transición del acento hispano al más marcado acento sueco. Estudiar idiomas y acentos étnicos ha sido siempre mi pasatiempo. Entonces Barb preguntó:

— ¿Tienes algún tipo que sea tu favorito?

— No, trato de mantenerme neutral y bailar con todos.

— ¿Has salido con alguno de los muchachos, sabes, detrás de anexo y . . . ? — levantó las cejas un par de veces.

Yo sabía lo que quería decir.

— Barb, no soy esa clase de muchacha. Estoy guardándome para el matrimonio.

— Tú eres la que pierdes — dijo Barb, sacudiendo la cabeza —.

Yo renuncié a esa idea hace muchos años.

— Pues yo no. Soy virgen todavía y voy a permanecer así hasta que me case.

— Te felicito — dijo Jean —. Quisiera haber tenido tu determinación cuando tenía tu edad. Desafortunadamente, la mayoría de los hombres tienen una sola cosa en su mente.

Yo sabía lo que ella quería decir, pensando otra vez en las fotos de las revistas que habían empapelado el sótano de mi padre. De esas fotos explícitas y de los chistes obscenos que solía contar a sus amigos, había aprendido a una edad inocente que muchos hombres consideran a la mujer poco más que un objeto sexual. No obstante, yo conservaba todavía la esperanza de que algún hombre pudiera verme como alguien que era ingeniosa e inteligente ... y también de bonita apariencia.

Les conté a las mujeres acerca de la vez que le había dicho a mi madre:

—No puedo decidir si es mejor tener belleza o tener cerebro.

Mamá había tenido una reacción rápida:

—Nunca olvides, querida, que es mejor tener belleza porque los hombres pueden ver más claro de lo que pueden pensar.

Jean y Barb se rieron conmigo, más que nada por la manera chistosa en que yo imitaba el fuerte acento de Filadelfia que tenía mi madre.

—Bueno, tu madre tiene razón en parte —dijo Jean—. Pero todavía hay algunos hombres buenos por ahí. Mantente firme en tus principios y espera. El hombre adecuado para ti llegará a tiempo.

—Lo sé. Algún día mi príncipe azul va a llegar cabalgando. ¡Sólo espero que no tenga que ir limpiando detrás de su caballo!

Y con este chiste reímos todas y regresamos a nuestras tareas. Yo no había dicho mi sueño completo, que yo iba a ser como Doris Day. Ella era siempre tan encantadora y amistosa en sus películas, y nunca le pasaba nada desafortunado. Si Hollywood podía presentar un mensaje tal como el de "vivieron felices y comieron perdices", entonces seguro que yo podía experimentarlo, especialmente si lo creía con todo mi corazón.

Esa tarde, en el patio adyacente a la oficina donde estaban almacenados los barcos de vela, dos hombres comenzaron a cargarlos en un camión. El mayor de los dos era Jack, uno de nuestros vendedores viajantes que venía a la oficina sólo de cuando en cuando. Se había detenido brevemente para revisar los papeles antes de comenzar el proceso de cargamento. Era un hombre más bien tosco, incluso grosero. Su rostro resultaba llamativo porque tenía la frente grasienta enmarcada por una barba descuidada. Además, tenía un exceso de peso de por lo menos cuarenta y cinco kilos.

Eran casi las siete cuando se cargó el último de los barcos en el camión. Jean, Barb y yo estábamos terminando las facturas y los otros papeles cuando los hombres entraron en la oficina. Sin levantar la mirada comenté:

— ¡Qué contenta estoy de que ya casi hemos terminado! Dentro de media hora hay una vieja película de Cary Grant en la televisión. Me encantan esas películas viejas.

— Parece una excelente manera de relajarse — dijo Jack —. ¿Por qué no compran pizza todas ustedes y vienen a mi casa y miramos la película todos juntos?

Encogí los hombros y dije:

— Claro, ¿por qué no?

Mirar una película con amigos parecía mejor que ir a mi apartamento congestionado y lleno de tensión.

Señalando hacia Barb y Jean, él dijo:

— Ustedes dos conocen el camino. ¿Por qué no compran la pizza? Lee, tú me puedes seguir en tu auto.

Unos minutos más tarde yo iba siguiendo lentamente a Jack a través de una zona de viejos edificios industriales. Doblamos a la izquierda y a la derecha varias veces, y comencé a sentir que estábamos vagando sin rumbo. Entonces cruzamos una carretera de cuatro vías hacia un vecindario caracterizado por viejas y deterioradas casas que rodeaban un estacionamiento de casas de remolque que parecía que el tiempo las había olvidado.

Jack dobló hacia la entrada de una vieja casa de remolque de aluminio y se estacionó debajo de un techo plano tan pandeado que casi raspaba el techo de su auto. *A esto es a lo que él probablemente le llama su garaje*, pensé sarcásticamente. *Esto luce exactamente como la casa que construiría Jack*. Era un remolque mugriento del que la pintura se estaba despegando, enrollada hacia arriba, dando la apariencia de pétalos de flores en el aluminio. El "césped" de enfrente no era otra cosa que tierra apisonada. *Está bien*, musité para mí misma mientras estacionaba detrás de Jack. *Los lugares desmantelados no son extraños para mí*.

Salí del auto y seguí a Jack subiendo dos escalones de madera y atravesando la puerta del frente. Una vez dentro, Jack batalló con la combada puerta hasta que cerró. Entonces encendió el televisor mientras me preguntaba en qué canal era la película.

Extenuada y lista para descansar, me dejé caer en una silla — como el resto de los muebles — estaba raída y el relleno se salía por los lugares más gastados. Jack manipuló nerviosamente la antena hasta que la nieve desapareció de la pantalla en blanco y negro. Entonces se dio vuelta y, fijando sus ojos en mí, comenzó a atravesar la sala. *Menos mal que mis amigas estarán aquí en unos minutos*, pensé.

Jack se detuvo frente a mí, se inclinó, me arrancó violentamente de la silla y me besó en el cuello. Fue tan repentino e inesperado que necesité un instante para darme cuenta de sus intenciones.

Aunque estaba familiarizada con el maltrato, nunca se me había violado sexualmente. Era tan ingenua en los caminos del mundo que aún mientras luchaba, parte de mi mente se preguntaba por qué este hombre de mediana edad, desgreñado y sin atractivo, estaba haciendo esto. ¿Qué había hecho yo para provocarlo? ¿Y dónde estaban las otras muchachas? ¿No debieran estar aquí ya para esta hora?

— ¡Déjame, no me hagas eso! — grité mientras Jack forcejeaba conmigo para llevarme al sofá.

Su ataque resucitó las horribles memorias de lo profundo de mi ser, los sentimientos aprisionados de aquellos tiempos en que mi padre, en su estupor alcohólico, me golpeaba sin razón. Mis gritos se volvieron lamentos de impotencia cuando Jack destrozó mi ropa interior. Mientras lloraba desesperadamente de dolor y miedo, escuché a Jack musitar con disgusto:

— ¡Ay no, una virgen!

En mi atormentada mente, me preguntaba cómo podía él continuar la violación de mi cuerpo y alma si tanto le desagradaba.

Pronto todo terminó. Mi atacante se dejó caer pesadamente al suelo, saciado, aparentemente sin más conciencia de mi presencia. El miedo y la rabia hacían que mi corazón latiera con violencia. La lucha, la adrenalina que circulaba a través de mi cuerpo y la angustia emocional de todo el suceso me dejó empapada de sudor. Luché para poder ponerme en pie, bajé mi vestido, agarré mis zapatos y cartera, y corrí hacia la puerta. Temiendo que él pudiera tratar de detenerme, sentí una corriente de fuerza mientras tiraba de la puerta hasta abrirla y atravesé corriendo la tierra apisonada rumbo a mi auto. Sin mirar atrás, encendí el auto y velozmente abandoné el estacionamiento de remolques.

No disminuí la velocidad hasta que estuve a pocas cuadras de mi casa. En ese momento, me aplastó el pleno impacto de lo que había sucedido. Me arrimé al costado de la calle, me estacioné debajo de un árbol y comencé a sollozar histéricamente. La culpa invadió mi interior mientras me decía a mí misma: *¡Eres una idiota! ¿Por qué fuiste sola a ese lugar? Estabas buscándote el problema. Debías haber sabido no hacerlo.*

Mientras hundía mi rostro en mis manos y sollozaba sobre el volante, mi mente era una confusión de pensamientos. Estaba furiosa de que mi sexualidad inocente hubiera sido brutalmente arrancada de mí. Durante todos esos años de novios y citas me había mantenido firme... ¿sólo para esto? Se me había despojado en cuerpo y alma.

Me deslicé hacia abajo en el asiento de mi auto, esperando que la oscuridad me ocultara a la vista de las familias que reían sentadas frente al televisor. El temor me cubrió y estuve paralizada en esa posición al menos por una hora. ¿Qué haría cuando Jack viniera a la oficina otra vez? ¿Cómo podía decírselo a nadie? Tenía miedo de que este hombre grande y poderoso tomara venganza.

Pero, de todas maneras, ¿a quién se lo podía decir? ¿Quién me iba a creer? La gente pensaría que yo lo había seducido. Además, el solo hecho de estar consciente de que la gente sabía sería humillante.

Pudiera decírselo a la policía, pero ¿qué pensaría mi madre? Ella nunca lo aceptaría. Además, yo recientemente había cumplido dieciocho años, y en alguna parte había escuchado que no se puede procesar por violación sexual a un individuo si la muchacha ha cumplido ya dieciocho años. Así que, ¿qué beneficio tendría decírselo a la policía?

*Esto no podía estar pasándome a mí*, pensé. *Esto no podía ser cierto. Es sólo una pesadilla.*

*Ponte fuerte, Lee*, me dijo mi atormentada mente. *Has atravesado cosas peores que ésta. Te vas a recuperar. Sólo no permitas que nadie lo sepa.*

Pero podía decírselo a alguien. Podía decírselo a Dios. "¿Por qué?" lloré en alta voz en la soledad de mi auto. "¿Por qué yo? ¿Dónde estabas *tú* cuando esto sucedió? ¿Por qué no me lo advertiste? ¿Es que acaso no he sufrido bastante? ¿Es que me estás castigando por algo? ¿Acaso eres un sádico que te complaces en zarandear personas pequeñas e indefensas como yo? Pensaba que las cosas serían realmente diferentes ahora que tengo a Jesucristo en mi vida."

Mi explosión emocional pareció ayudarme a recuperar la calma. Tenía que tratar de enterrar esas preguntas incontestables en mi subconsciente. *Tienes que sobreponerte*, me dije a mí misma. *Vete a casa. Vete a la cama. Olvidarás incluso que esto ha sucedido.* Entonces decidí que este ataque sería un secreto que iría conmigo hasta la tumba.

Con esto, encendí el auto y seguí rumbo a casa.

Pero mientras conducía me daba cuenta de que, si bien podía tener éxito en esconder este secreto del mundo, se había taladrado un gran hueco en mi vida. Se había arruinado para siempre mi fantasía de Doris Day. Se había arrancado brutalmente de mi vida una parte de mí misma, y nada podría llenar ese vacío jamás.

# 3

# Sin lugar de escondite

Nadie miró cuando abrí la puerta del apartamento. En la oscura sala, mi madre y mis hermanas estaban entretenidas con algún programa de televisión. Rápidamente me escurrí por el corredor hacia el dormitorio que compartía con Kay, mi hermana de trece años, agarré una bata de noche, entré al cuarto de baño y cerré la puerta con llave. Ahora sentía una necesidad intensa de librar mi cuerpo de la culpa y de la sensación de sentirme sucia. Al quitarme mis mancilladas ropas, quería tirarlas a la basura, porque siempre me recordarían esta horrorosa noche. Pero sabía que no sería capaz de dar una explicación.

La ducha se convirtió en mi "sala de recuperación". Dejé que el agua tibia corriera sobre mí y sosegara mi dolorido cuerpo. Sin embargo, el agua no podía arrastrar con ella las emociones de un alma quebrantada. Sintiéndome segura por un momento en el ruido de la ducha, dejé fluir las lágrimas. Con esas lágrimas, fue como si la juventud de mi vida hubiera terminado.

Estaba sola, culpable, sucia, llena de temor. Había pasado un largo tiempo desde que había experimentado ese impotente sentimiento de ser controlada físicamente por un hombre. El resentimiento estaba comenzando a hervir en mí como un volcán en erupción. *La castidad no debiera ser un lujo para una mujer,* pensé. ¡Cómo anhelaba que dos brazos amorosos me rodearan y me permitieran llorar amargamente! Necesitaba alguien que me consolara, una persona que fuera compasiva y comprensiva.

Mientras lavaba mi cuerpo ultrajado, sollozos incontrolables escapaban de mi alma y venían a ser parte del agua limpiadora. Cuando terminé de lavarme, permanecí bajo el agua tibia el mayor tiempo posible. Finalmente, para evitar preguntas de mi madre y hermanas, me obligué a cerrar la llave del agua. Mientras me secaba, la toalla de baño parecía demasiado pesada para levantarla y ponerla sobre mi cuerpo. Cada tarea normalmente fácil consumía toda mi concentración y energía. Cuando terminé de secarme, me puse mi fresca bata de algodón, caminé pesadamente hacia mi cuarto y caí en la cama. Las colchas formaban un capullo a mi alrededor, aislándome del mundo. Pero no podían protegerme de mis turbulentas emociones.

Fingí estar dormida cuando finalmente Kay vino a la cama. Después di vueltas la mayor parte de la noche, reviviendo el horror del suceso. Cuán desesperadamente hubiera deseado escapar. Pero escapar era imposible. "¿Por qué yo, Dios?" lloraba una y otra vez, en esta ocasión no tanto con ira como con el deseo de encontrarle sentido al vacío en mi vida que era como un hueco abismal.

¿Cómo podría confiar en alguien otra vez? Quizás necesitaba aprender mi lección y darme cuenta sim-

plemente de que no podía confiar en las personas. Me
había despreocupado mucho. Me sentía avergonzada. No, estúpida. No tenía que haber ido a la casa de
remolque de Jack bajo ninguna circunstancia. Yo ni
siquiera lo conocía. Era horrible darme cuenta de que
no había sentido ninguna aprensión. *Más vale que dejes
de ser tan ingenua*, me dije a mí misma. *Cuidado por
dónde vas. Verifica los motivos de la gente. No pienses que
todo el mundo es tu hermano o tu hermana.*

Esa exhortación podía ayudar a prevenir otra tragedia, pero no podía reparar el daño presente. No
había otro lugar a donde volverme sino a Dios. No
había ninguna otra opción. De alguna manera, Él
tenía que darme respuestas. No quería pasar toda mi
vida desconfiando de los motivos de las personas,
pero tampoco podía soportar el pensamiento de sufrir
nuevamente un dolor sin sentido como éste. En el
escritorio al lado de mi cama estaba el último estudio
de mi curso bíblico por correspondencia de Billy
Graham. Cada vez que hacía la lección y la enviaba,
me sentía muy bien. Más que la lectura de un libro
de psicología popular, la Biblia me estaba ofreciendo
algunos principios sólidos y prácticos en los que podía
apoyarme. Recibía fuerzas de sus páginas. Las lecciones cubrían principios fundamentales que eran fáciles de entender y aplicar a mi vida. Cuando terminaba
un estudio, lo enviaba para que alguien lo corrigiera
y me lo devolviera algunas semanas después con
palabras de ánimo y un nuevo estudio. Cuando finalmente caí en un sueño ligero, determiné que haría la
nueva lección la tarde siguiente después del trabajo.

❀❀❀

A la mañana siguiente nada parecía diferente alrededor del apartamento. Mientras conducía hacia el trabajo, deteniéndome en el camino para comprar un buñuelo y una taza de café, me preguntaba cómo era posible que las personas que me rodeaban pudieran estar inconscientes del "suceso" y de mis sentimientos de desesperanza. Pero el mundo seguía dando vueltas como si nada. En la oficina, Barb y Jean actuaron como si ni siquiera recordaran la conversación al final del trabajo la tarde anterior. Me preguntaba si podían adivinarlo sólo mirándome . . . ¿Se veía que se me había violado? ¿Revelaba mi rostro la turbulencia de la noche anterior? ¿Descubrían ellas algunas señales de que algo me había sucedido, de que estaba diferente?

Para la hora de almuerzo no pude aguantarme más. Tratando de sonar indiferente, finalmente pregunté:

— Eh, ¿qué les pasó a ustedes anoche? Yo pensaba que iban a comprar pizza e ir a casa de Jack.

— Era demasiado tarde — dijo Jean —. Tenía que llegar a la casa. Pensé que ibas tú, Barb.

— No tenía ganas de ir — dijo Barb —. Estaba demasiado cansada.

No me preguntaron lo que había hecho yo, y mientras Barb cambiaba el tema, me di cuenta repentinamente de que ellas no habían hecho ningún compromiso con Jack. Quizás yo simplemente supusiera que ellas irían, mientras que ellas pensaban que era algo que podían hacer si tenían ganas, pero que no era gran cosa. No podía hablar más acerca del asunto sin revelar mi problema. Necesitaba enterrar este incidente grotesco que nunca debía haber sucedido.

La preocupación que todavía me inquietaba era

qué hacer cuando Jack regresara a la oficina. Se había ido temprano esa mañana con el cargamento de barcos y no tenía que estar de regreso en la oficina hasta dentro de un par de meses. ¿Qué le diría la próxima vez que lo viera? *Simplemente haré caso omiso de él*, decidí. *Si no le presto ninguna atención, todo se terminará*. Tenía que obligarme a mí misma a continuar como si todo fuera igual.

De alguna manera sobreviví ese día en el trabajo, con mi mente suspendida entre la realidad y una pesadilla. Mis emociones me tenían tan irritable que sabía que no podía enfrentarme con mi madre y hermanas. Tenía que recuperar algún control sobre mi vida. Durante la cena, mamá notó que yo estaba extraordinariamente callada.

— No me siento bien — murmuré —. Creo que me voy temprano a la cama.

Afortunadamente, mi madre y hermanas estaban envueltas en su propio mundo y no me prestaron más atención.

Tan pronto como la mesa estaba recogida, me aislé en mi cuarto y abrí mi estudio bíblico de la Asociación Evangelística de Billy Graham. Antes de mi experiencia en la campaña, solía pensar de la Biblia como un viejo libro mohoso que adornaba el atril en una iglesia gótica. Pero después de hacer estos estudios durante los meses pasados, había llegado a darme cuenta de que la Biblia estaba llena de verdad con la cual podía medir mi vida y encontrar dirección. Ahora era mi única esperanza. Los estudios habían sido siempre de tan gran ayuda que me sumergí en ellos ansiosamente.

Los versículos impresos al comienzo de la lección captaron mi atención de inmediato.

> Deléitate asimismo en Jehová, y él te conce-
> derá las peticiones de tu corazón. Encomien-
> da a Jehová tu camino, y confía en él; y él hará.
>
> Salmo 37:4,5

La palabra "encomienda" realmente se clavó en mi pensamiento. Yo necesitaba encomendar esta experiencia a Dios. Tendría que haber un momento en el tiempo en que yo definitivamente encomendara esa violación a Él. No podía tratarlo con una actitud de "qué será, será". Y no podía simplemente sentir lástima de mí misma y nadar en la autocompasión. Necesitaba hacer algo positivo: encomendarlo al cuidado de Dios. El versículo prometía que desde ese momento Él se haría cargo del asunto y haría que todo obrara para bien.

La mayoría de las lecturas bíblicas asignadas en los estudios eran del Nuevo Testamento. Yo disfrutaba particularmente de las historias de Jesús y de sus parábolas. Las epístolas eran un poco más difíciles de entender. Esta tarde dos de los pasajes eran de la segunda carta de Pablo a los corintios. Los pensamientos de *¿Por qué yo, Dios?* eran tenaces hasta que leí acerca de algunas de las cosas que soportó el apóstol Pablo. Comencé a llorar mientras leía y con las lágrimas, el consuelo de Dios se derramó en mi corazón. "De los judíos cinco veces he recibido cuarenta azotes menos uno. Tres veces he sido azotado con varas; una vez apedreado; tres veces he padecido naufragio; una noche y un día he estado como náufrago en alta mar" (2 Corintios 11:24,25). Continuaba enumerando muchos otros peligros que había encontrado. Era obvio que Pablo, con toda su piedad, no pudo escapar de los problemas.

La clara respuesta a mi pregunta "¿Por qué yo, Dios?" era "¿Por qué *no* tú, Lee? ¿Por qué debieras tú ser exenta?" ¿Por qué debiera nadie ser exento? Pablo tuvo toda clase de problemas, pero pudo escribir: "Estamos atribulados en todo, mas no angustiados; en apuros, mas no desesperados; perseguidos, mas no desamparados; derribados, pero no destruidos" (2 Corintios 4:8,9).

Al continuar leyendo, me di cuenta de que Pablo fue a la cárcel y sufrió toda clase de injusticias y trato inmerecido, y sin embargo, sobrevivió. ¿Quién era yo para pensar que merecía un tratamiento especial? En mi limitado conocimiento empecé a considerar que Dios podía darme el mismo espíritu que le había dado a Pablo. Posiblemente Él aun podía comenzar a llenar el hueco abismal que me causaba tanto dolor.

Con esta perspectiva me sentí confiada en encomendar mi situación a Dios. Durante los días siguientes, a menudo volvía a encomendarla, cuando los horrorosos recuerdos volvían a la superficie. "Señor, ayúdame a soportar este dolor" era mi simple oración, y muchas veces era lo único que me ayudaba a mantener mi cordura.

❀❀❀

A medida que los días pasaban y algo de mi dolor y confusión disminuía, noté que tenía una creciente sospecha y desconfianza hacia todos los hombres. Antes, siempre vacilaba antes de entrar en una relación significativa; ahora mantenía a todo el mundo a mayor distancia. Continué con mis actividades para la USO, pero dejé totalmente de salir con los muchachos. Disfrutaba tratando de traer un poco de felicidad a los jóvenes que estaban sirviendo a su país; eran como los hermanos que yo nunca había tenido. Con tantas preguntas y temores no resueltos, estaba determinada a limitarme sólo a esas relaciones de hermano a hermana. Sabía que finalmente comenzaría a salir otra vez, pero por ahora lo mantendría fuera de mi mente. Tomaría tiempo recobrar la confianza que necesitaría para poder sentirme cómoda en una situación de interés amoroso.

Al pasar las próximas semanas, comencé a experimentar dolor de garganta y náuseas, como si me estuviera comenzando una gripe.

— El microbio está en el ambiente — dijo Barb un día en que me quejé.

Tuve que esforzarme por seguir en el trabajo durante varios días, pero nunca me sentí lo suficientemente enferma para quedarme en casa. Entonces una mañana me desperté sintiéndome completamente agotada. Pensando que necesitaba descanso extra para quitarme la gripe, llamé al trabajo diciendo que estaba enferma. Pero después de dos días en cama, no me sentía nada mejor.

Finalmente decidí ir al médico, con la esperanza de recibir algún antibiótico que me ayudara a recuperarme y regresar al trabajo. Una enfermera escuchó mis síntomas y tomó muestras de sangre y orina. Vino entonces el médico y me hizo un reconocimiento rutinario.

— ¿Ha tenido usted alguna congestión en la nariz o los oídos?

— No, sólo dolor de garganta — respondí.

— ¿Por cuánto tiempo ha sentido las náuseas?

— Por un par de semanas.

— ¿Ha tenido vómitos o diarrea?

— He vomitado algunas veces por la mañana. No tengo muchas ganas de comer nada.

— ¿Cuándo tuvo usted su última regla?

Pensé que esa era una pregunta extraña. ¿Qué tenía que ver eso con la gripe? Tuve que pensar por un momento antes de responder:

— Hace dos meses.

— ¿Ha tenido relaciones sexuales?

Tragué saliva y respondí:

— Ah, no realmente . . .

El médico me dio una mirada extraña.

— Bueno, quiero decir . . . una vez — dije tartamudeando.

— ¿Qué tiempo hace?

— Seis semanas.

Tuve la tentación de decirle que se me había violado, pero algo me detuvo. Quizás pensé que él llamaría a la policía. Habría preguntas. ¿Qué pensaría mi madre? Se sentiría tan avergonzada. Tenía que manejar esto lo mejor que podía y continuar.

— Bueno, probablemente usted no está esperando esto — dijo el médico —. No sé si son buenas o malas noticias. Pero, por lo que puedo ver, usted está embarazada. Estoy seguro de que los exámenes de sangre lo confirmarán cuando tengamos los resultados dentro de unos días.

— ¡Pero eso no es posible! — protesté —. No, no puede ser. — Sentí que estaba entrando en la *zona crepuscular* —. Una persona no puede quedar embarazada si es virgen. Quiero decir, no puede quedar embarazada la primera vez. Es una imposibilidad médica. ¿No es cierto?

El médico, con cruda cordialidad, explicó:

— Todo lo contrario, es muy posible. Usted estaba en medio de su ciclo menstrual. Ese es el tiempo en que la mujer ovula. Si las relaciones sexuales ocurren durante ese tiempo que la mujer está fértil, puede quedar embarazada.

Eso era primera noticia para mí. Aquí estaba yo, una graduada de la escuela secundaria, supuestamente "educada". Pero mi educación sexual se había detenido en el nivel de información preescolar. Yo sabía que había un ciclo mensual en la menstruación, pero nadie — ni mi madre, ni mis amigas, ni mis maestras — me había explicado nunca el proceso de ovulación.

— Hay varias opciones disponibles para usted — continuó el médico —. Podemos hablar de ellas ahora o en su próxima cita.

Sacudí la cabeza, tratando de negar lo que había oído. El médico cerró la carpeta y dijo:

— Esperemos. Obviamente usted necesita tiempo para pensar.

Aturdida, logré encontrar mi camino hacia el auto. Una vez más busqué seguridad dentro de este viejo vehículo destartalado. Conduje hasta una quieta calle bordeada de árboles donde podía sollozar sin que nadie me notara. Mi mente trataba de negar lo que acababa de oír, pero sentimientos de absoluta desesperación surgían como oleadas con el persistente pensamiento: *Esto no puede* estar sucediendo. ¡No es posible! ¿Cómo puedo yo, una hija indeseada, estar embarazada con un hijo indeseado?

Después de media hora, las lágrimas comenzaron a disminuir. Me obligué a revisar los hechos. Me había faltado una regla. Había tenido los síntomas de náuseas matutinas. La violación había sucedido en medio de mi ciclo. El examen de sangre no estaba lista todavía, pero yo sabía lo que mostraría. El médico tenía razón. Negar los hechos no cambiaría en nada la situación.

Mis emociones estaban totalmente agotadas. Sentía como si me estuvieran castigando. Necesitaba ayuda, pero ¿con quién podía hablar? ¿Quién me podía ayudar?

"Dios, tú eres lo único que tengo en este momento. Pero yo pensaba que cuando te encomendé esta violación a ti, ese sería el final de sus efectos sobre mí." Mientras hablaba a Dios, me di cuenta de cuán incapaz era de manejar esta noticia devastadora. Aunque había pensado que mi entrega de la situación a Él resolvería el problema, tenía que admitir que quizás yo no entendía realmente lo que significaba encomendar. Quizás la razón por la cual estaba en este enredo era porque todavía estaba tratando de gobernar mi vida. Le había dado a Cristo un lugar para vivir en mí, pero en lo más profundo de mi ser sabía que yo estaba todavía dictando las órdenes. Sentí que Él me presionaba, pidiéndome el control de mis decisiones, amistades, tiempo, carrera, actitudes: absolutamente todo. Y me di cuenta de que sin tener Cristo el control, yo no tenía ninguna esperanza de vencer este problema y tener éxito en la vida.

—oré—. Parece que no tengo control sobre las cosas que me pasan. Si no me ayudas, Señor, si tú no tomas el control de mi vida, entonces no hay esperanza para mí."

Lloré otra vez antes de continuar mi oración.

"Dios, ¿cuánto más puedo soportar? Por favor, ayúdame. Toma mi vida. No me queda nada. Lo entrego todo a ti. Estoy dependiendo de ti para dirección. No estoy pidiéndote que hagas mi vida color de rosa. Sólo ayúdame a atravesar este laberinto. Aceptaré los resultados, cualesquiera que sean, pero no puedo continuar sin que tú estés en el control."

Finalmente, pude conducir hasta la casa. Mamá estaba todavía en el trabajo y mis hermanas en la escuela. Tomé mi Biblia. Vencida por mis emociones, estaba desesperada por oír algunas palabras de parte de Dios. Pero ¿dónde encontraría la esperanza que tan desesperadamente necesitaba? Todavía no estaba muy familiarizada con este libro. Tomé el curso por correspondencia y vi un pasaje en el libro de Proverbios. Tuve que mirar en el índice para poderlo encontrar, y entonces leí estas palabras:

> Fíate de Jehová de todo tu corazón,
> y no te apoyes en tu propia prudencia.
> Reconócelo en todos tus caminos,
> y él enderezará tus veredas.

> Proverbios 3:5,6

Me agarré de estas palabras. Dios *me estaba* ayudando. Aquí estaba una promesa en la que podía apoyarme. En mi auto había dado el primer paso rindiendo el control de mi vida. Ahora Dios me había mostrado el próximo paso. Expresaría mi confianza reconociéndolo en todos mis caminos. Esperaría hasta oír del Señor qué debía hacer.

Pero primero tenía que descansar. Al echarme sobre la cama me di cuenta de que tenía que darle a mi madre la noticia, aun cuando ya sabía cuál sería su reacción: ella no sería capaz de manejar esta situación. ¿Cómo podría ella explicarlo a mis hermanas? Ella misma tenía demasiadas heridas propias para tratar ni siquiera de comenzar a ayudarme. Sin embargo, no importaba cuál fuera su reacción, tenía que decírselo.

¿Qué hacer entonces? La única persona a quien podía hablarle era a Zoe. ¿Pero qué podía hacer ella? Yo necesitaba algún lugar adonde ir. ¿Pero a dónde? Esto era como tratar de armar un complejo rompecabezas. Y yo ni siquiera estaba segura de que tenía todas las piezas.

¿Las tenía Dios? Yo tenía esa promesa de Proverbios. Era tiempo de confiar en que Él tenía las piezas y permitirle a Él decidir cómo encajarían.

# 4

# Una persona desplazada

Esperé hasta recibir confirmación de mi condición para decírselo a mi madre. La noticia esperada llegó al trabajo dos días después, cuando una enfermera llamó para decirme que el examen de sangre para confirmar el embarazo era positivo. Esa tarde, mientras Kay y Sue estaban jugando afuera y mamá estaba en la cocina preparando la comida, respiré profundo y levanté mi voz para llamar su atención.

— Mamá, hoy recibí los resultados del examen médico — dije balbuceando.

— ¿Y? — dijo sin levantar la vista de la estufa.

— No es la gripe. Estoy embarazada.

Con esta última palabra se quedó paralizada. Entonces se volvió hacia mí y me dio una mirada de incredulidad y lentamente sacudió su cabeza.

— ¡No! — dijo —. ¡No! Dios mío, Lee, ¿cómo pudiste hacerme esto? Esto es demasiado. No puedo soportarlo. Apenas nos hemos mudado a este vecindario y estamos tratando de comenzar de nuevo. ¿Qué pensarán los vecinos? Tendrás que irte. No puedo permitir que tus hermanas vean esto. ¿Cómo pudiste hacerles esto? Tendrás que enfrentarte a esto sola . . .

Se interrumpió la andanada de mamá cuando la puerta del frente se abrió y mis hermanas entraron corriendo al apartamento. Podía adivinar por la expresión de mamá que no había nada más que decir. Ella no quería una explicación; simplemente quería que el problema desapareciera, lo cual significaba que yo tenía que irme. Podíamos discutir, podíamos pelear, yo podía llorar, pero nada cambiaría el hecho de que tendría que enfrentarme con mi problema sola. No iba a recibir ningún apoyo de ella.

Me sentí defraudada pero no aplastada, porque realmente no podía esperar de ella que me dijera:

— Lee, lo siento. Cuéntame qué sucedió.

Yo quería explicar las circunstancias, para que ella entendiera, porque si mi propia madre no podía apoyarme, ¿quién lo haría? Sin embargo, tenía que darme cuenta de que requería toda su energía para levantarse de la cama cada mañana, enfrentar su trabajo y cuidar de tres hijas. Si yo me iba, ella podía negar que esto había sucedido, y algún día yo podría regresar con orgullo, siempre y cuando fuera *sin* el bebé.

La noche siguiente participé en una función de la USO cerca de San José. En el ómnibus con varias otras muchachas, escuché a una de ellas mencionar la palabra "aborto". De manera despreocupada, entré en la conversación, diciendo:

— No he conocido a nadie que realmente se haya hecho un aborto.

Judy respondió:

— Es muy difícil obtener quien lo haga. Tengo una amiga que se hizo uno en Tijuana. Le costó muy caro, pero resolvió su problema.

— ¿Qué es exactamente lo que hacen? — preguntó alguien.

— Es una operación relativamente simple. Penetran, sacan el feto, entonces te vuelven a coser. Mi amiga no tuvo ningún problema.

— Suena horrible — señaló una de las muchachas, y cambió el tema.

Sentí que si yo quería, Judy me podría proporcionar más información. Considerando las circunstancias, me sentí justificada al considerar esta alternativa. Pero también me sentía incómoda. Parecía como algo que hacían las muchachas malas. Más importante aún, la descripción de Judy me hizo darme cuenta de que había un bebé *vivo* dentro de mí. Parecía que el aborto era una respuesta tan permanente para un problema temporal.

Yo sabía lo suficiente como para conocer que uno de los mandamientos de Dios era: "No matarás." Si estaba realmente tomando en serio el permitirle a Dios dirigir mi vida, entonces esta opción no era para mí. Pero pude entender por qué una mujer sería tentada a optar por esta aparente "salida fácil".

Mientras las otras muchachas charlaban, pensé otra vez en mis opciones. ¿No tenían los católicos un hogar para las madres solteras? ¿Qué de la adopción? ¿Debiera quedarme con el bebé o dárselo a otra familia? ¿Debiera quedarme en San Francisco o mudarme a otra zona, donde mi madre y mis hermanas no tuvieran que enfrentarme?

Era demasiado para decidir. Cuando llegamos a la base militar, traté de sacarlo de mi mente y pasar un buen rato. Pero no tuve mucho éxito.

Al día siguiente en el trabajo telefonée a Zoe, y me

invité a comer con ella. Esa noche mientras lavábamos los platos, le di la noticia.

— Zoe, tengo un problema. Hoy me enteré de que estoy embarazada.

Hubo una mirada de conmoción en su rostro, pero sin condenación. Rápidamente alcanzó un toalla para secarse las manos y dijo:

— Ven, sentémonos.

Zoe no era sólo mi hermana mayor, sino una amiga leal que oiría mi problema y trataría de ayudar. Me hizo algunas preguntas necesarias sin ser demasiado inquisitiva.

— Traté de hablar con mamá — expliqué —, pero ella no puede con esto.

— ¿Estás planeando casarte?

— No, eso ni pensarlo siquiera. Fue un tipo del trabajo a quien espero no volver a ver nunca más.

Zoe no me presionó por más detalles.

— Está bien, ¿qué hacemos entonces?

— No sé. Pienso que lo que tengo que hacer es irme de la ciudad para no ver más a ese hombre. Sería fantástico si encontrara un lugar donde pudiera ir hasta que todo este asunto termine. Un lugar donde alguien comprenda, como tú; sólo que tú no puedes porque tienes tus propios hijos que cuidar. Necesito algún lugar donde pueda pensar en todas las cosas. Necesitaré conseguir un trabajo y comprarme un auto.

— ¿Vas a dar el bebé en adopción?

— No sé. No estoy en las mejores condiciones para criar un hijo. Pero todavía no estoy lista para decidir. Necesito un poco de tiempo para decidir cada cosa.

— Creo que tienes razón en salir de la ciudad. Cada vez que veas a mamá se acordará de tu problema. Podrías llevarte mi auto. Sé que está viejo, pero te resolverá hasta que tengas algo mejor. ¿Pero adónde puedes ir?

Zoe pensó por un momento en algunos de los amigos y familiares del lado de su esposo que ella conocía. Crecimos sin conocer o tener contacto con ningún familiar como abuelos, tíos o primos. Tanto mamá como papá eran hijos únicos. Pero el esposo de Zoe tenía parientes naturales y adoptados.

— Mi esposo tiene un viejo tío adoptado que vive en la playa. Es ciego y creo que vive solo. Déjame llamarlo.

Ella hizo la llamada mientras yo comenzaba a lavar los platos. En unos minutos volvió.

— Está todo arreglado. Él tiene una casa vieja y grande. Dice que no hay problema en que tú uses uno de los dormitorios. Creo que es precisamente lo que estábamos buscando.

— ¿Dónde es que vive exactamente?

— Justamente entre Los Ángeles y Long Beach. Es un viaje largo, pero puedes hacerlo en un día.

Esa noche empaqué mis maletas. No me tomó mucho tiempo, sencillamente porque no tenía muchas posesiones. Sue quería saber qué estaba haciendo.

— Me mudo para Los Ángeles — repliqué.

— ¡Estupendo! ¿Qué vas a hacer allí?

— Voy a conseguir un nuevo trabajo — respondí confiadamente.

— ¿Vas a ser una estrella de Hollywood? — bromeó, haciendo una pose exagerada como Marilyn Monroe.

Me reí y le lancé una almohada. Sue fue corriendo a darle la noticia a Kay.

A la mañana siguiente informé a mi sorprendido

jefe que éste era mi último día de trabajo. Jack no había aparecido desde aquella noche fatídica y yo estaba contenta de escapar antes que él tuviera la oportunidad. Después del trabajo tiré mis pertenencias en el auto de Zoe y le dije adiós a mi familia. Sue y Kay dijeron que irían a visitarme cuando fuera rica y famosa. Mamá dijo simplemente:

— Dios te bendiga. Cuídate.

Pasé por casa de Zoe para decirle adiós a ella y su familia. Me puso cincuenta dólares en la cartera para completar otros cincuenta dólares aproximadamente que representaban todos mis ahorros. Entonces, con una hora más de sol y con un mapa del camino extendido en el asiento delantero, me vi en la Carretera 101 viajando hacia el sur. No había avanzado muchos kilómetros cuando me golpeó la intensa soledad. Estaba viajando hacia una ciudad donde no conocía a nadie. En realidad, me sentía ligeramente incómoda con el arreglo de vivienda que se había hecho para mí. Eché esa ansiedad a un lado, ya que no tenía otra alternativa, y pensé en otras preguntas: *¿Dónde encontraría un trabajo? ¿Qué tan pronto podría comprar un auto para poder devolver el de Zoe? ¿Podría hacer nuevos amigos fácilmente? ¿Me quedaría con el bebé? ¿Cómo se da un bebé en adopción?*

*¡Espérate!* me dije a mí misma. *Preocupémonos de un problema a la vez. En este momento tienes un lugar donde vivir. Lo que necesitas es un trabajo. Eso es lo suficiente para pensar por ahora. Toma un día a la vez.*

Con esto traté de relajarme mientras viajaba por la costa. Pero mi mente no descansaba. Saltaba de una emoción a otra. Hubo alivio al salir de la casa, pero temor acerca del futuro. Había un sentir de aventura, pero también resentimiento por ser forzada a — una emoción profunda que no podía ni siquiera expresar — que necesitaba escapar. Algún tiempo después de la medianoche decidí que no había razón para apresurarme a mi destino, así que me registré en un destartalado motel que estaba a la orilla de la carretera.

En mi deslucido cuarto me estiré en la cama y contemplé la fea sobrecama floreada. La desesperanza salió a la superficie y consumió mi fuerza. Me sentí vacía, abandonada y aislada. No había nadie que me apoyara, nadie en quien confiar, salvo Dios. Parecía lógico hablar con Él en voz alta, como si Él fuera mi amigo que estuviera sentado en la silla al lado de mi cama. No traté de hacer que mi oración pareciera santa. Simplemente expresé mis pensamientos y sentimientos mientras emergían.

"Señor, mi vida es un enredo. Era un enredo antes de entregártela a ti, y todavía es un enredo. Nada ha cambiado. No espero que tú seas como una máquina tragamonedas donde yo echo una oración y tú sueltas una bendición; pero, Dios, yo podría hacer buen uso de un premio gordo en este momento. No tengo familia ni hogar, y prácticamente no tengo dinero.

"¿Es ésta tu manera de castigarme? Quizás yo estaba equivocada cuando arranqué mi familia del lado de mi padre. Bueno, por lo menos no seré más una carga para mi madre. Fue bueno que me separara de ella para que no tenga que avergonzarse. Ahora tengo que depender de ti para ayudarme a acabar con todo esto y dejarlo atrás."

Mientras hablaba con Dios sentí que de lo más profundo surgía una ola de ira y mis palabras la reflejaban.

"Mira, Dios, hubieras podido evitar todo esto. ¡Por qué me dejaste abrir mi estúpida boca en la oficina! ¿Por qué permitiste que ese hombre me invitara a su casa? ¿Por qué no fue una de las otras muchachas? Nada de esto tiene ningún sentido.

"Y ahora me siento despojada. ¿He conservado mi virginidad para esto? ¿Te das cuenta de que tengo sólo dieciocho años? Soy demasiado joven para toda esta responsabilidad. Nunca he tenido la oportunidad de ser simplemente una niña. ¿Cómo es posible? ¿Por qué no podía disfrutar de la vida un poco de tiempo?"

Continué divagando por cerca de una hora desahogando mi frustración. Cuando terminé, mi brazo, aparentemente por sí solo, alcanzó la Biblia dejada por los Gedeones que estaba en la gaveta de la mesa de noche. Sin mi curso por correspondencia no sabía dónde buscar. Se me cayó de la mano mientras hojeaba sus páginas, y quedó abierta sobre mi regazo. Mis ojos cayeron en las palabras de Jesús cuando enseñaba a sus discípulos a orar:

> Vosotros, pues, oraréis así:
> Padre nuestro que estás en los cielos,
> Santificado sea tu nombre.
> Venga tu reino.
> Hágase tu voluntad, como en el cielo,
> así también en la tierra.
> El pan nuestro de cada día, dánoslo hoy.
> Y perdónanos nuestras deudas,
> como también nosotros perdonamos
> a nuestros deudores . . .

Mateo 6:9-12

Mientras continuaba leyendo vi que Cristo explicó la importancia del perdón: "Porque si perdonáis a los hombres sus ofensas, os perdonará también a vosotros vuestro Padre celestial; mas si no perdonáis a los hombres sus ofensas, tampoco vuestro Padre os perdonará vuestras ofensas" (Mateo 6:14,15).

¡De repente me di cuenta de que esto era aplicable para mí!

Esto me asustó. ¿Qué sucede si no recibo el perdón? No podría vivir con esa incertidumbre. Necesitaba estar segura de que yo había cumplido con el requisito de Dios. Tenía que perdonar a los que me habían hecho daño. Eso no era discrecional. Dios lo había dicho muy claro: sí o no, blanco o negro. La única pregunta era si yo lo obedecería.

Realmente no tenía otra alternativa. Dados los hechos y mis circunstancias, esta era mi única esperanza. Tenía que obedecer. No importaba si lo deseaba o no. Había rendido el control de mi vida a Cristo y quería experimentar su amor y perdón. Durante las horas siguientes revisé mi vida y, hablando en alta voz, expresé a Dios mi perdón hacia todas las personas que me habían herido.

Era natural que primero pensara en mi madre y en cómo ella no me había apoyado en mi trauma y me había hecho salir del hogar. Pero aun con lo mucho que me dolía, fue relativamente fácil perdonarla, porque, ¿qué otra cosa podía hacer? Ella simplemente no podía con más. En menos de un año su matrimonio había terminado y se había mudado a casi cinco mil kilómetros de distancia de la pequeña sección de Filadelfia que fue el único hogar que había conocido. Después de todo el dolor que había recibido de mi padre, yo podía entender por qué ella no podía enfrentar más humillación de mi parte.

Reflexioné en mi vida pasada en Filadelfia. Pensé en mi padre y en cómo él comenzaba cada día no con cereal, sino con un huevo crudo en un vaso de ginebra. Él rara vez comía con la familia. En realidad, se observaba su destreza con el tenedor sólo en los días de fiesta. "Señor, yo quiero perdonar a mi padre por toda la — dije —. Lo perdono por todas las palizas y por su falta de cuidado. Lo perdono por no estar a mi lado cuando lo necesitaba, por no tenderme la mano cuando estaba sufriendo, por emborracharse y avergonzarme tantas veces delante de mis amigos o de los vecinos, por ser un fracasado que no podía proveer para su familia."

Mientras decía estas palabras, comencé a llorar, porque en medio de mi confesión empecé a ver a mi padre en una nueva luz. El hombre que yo veía no era la verdadera persona. En alguna manera que yo realmente no entendía, él estaba enfermo. Era la bebida lo que lo había cambiado. Bajo esa apariencia había un hombre que deseaba amar a sus hijas, pero cuyo pensamiento se había distorsionado. Por causa del alcohol, no podía controlarse. Nunca había enfrentado los resentimientos de su pasado y mientras su ira no resuelta se había acumulado dentro de él, comenzó a beber más para compensar, lo cual sólo exageraba el cambio de su personalidad.

Mis padres no eran los únicos a quienes necesitaba perdonar, porque yo había almacenado toda clase de pequeñas heridas por años. Pensé en maestros que me habían abochornado o me habían humillado, de amigos que me habían rechazado, de un novio que había terminado abruptamente una relación que yo pensaba que tenía posibilidad, y del maestro de drama que no me había seleccionado para un papel importante en el musical para el cual había ensayado. Mientras recordaba cada herida, perdonaba a la persona responsable de la herida.

Y entonces pensé en mi atacante: el que había desbaratado mi vida, el que me estaba forzando a huir de mi familia, el que me había robado mi juventud. ¿Cómo era posible que lo perdonara? Yo no quería, pero tenía que hacerlo. "Si no perdonáis a los hombres sus ofensas, tampoco vuestro Padre os perdonará vuestras ofensas." ¿Iba a obedecer a Dios? Él me ofrecía una promesa . . . si seguía sus instrucciones.

Cuando dudaba, pensaba en Jesucristo y en cómo Él había luchado con el plan de Dios la noche antes de ser crucificado. Él oró en angustia: "Si es posible, pase de mí esta copa; pero no sea como yo quiero, sino como tú" (Mateo 26:39). Y mientras colgaba de la cruz dijo: "Dios mío, Dios mío, ¿por qué me has desamparado?" (Mateo 27:46). Jesús fue una víctima también, uno que no había hecho absolutamente nada malo. Pero a pesar de sus emociones personales, obedeció a su Padre.

Así era como me sentía yo: como una víctima. Aparte de un error de juicio, yo no había hecho nada malo. Pero ésta no era la cuestión. La pregunta era: "¿Perdonarás a ese hombre?" Pensé acerca de la razón por la que pudo haberlo hecho. ¿Intentaba él realmente arruinar mi vida, dejarme embarazada, obligarme a renunciar a mi trabajo y a mudarme a más de seiscientos kilómetros de mi familia? Me parecía que él había planeado atraparme sola, pero que probablemente no sabía las ramificaciones de sus acciones. Yo tenía que perdonarlo por lo que él había hecho, no por lo que había intentado. "Señor, lo perdono. No puedo juzgar sus pensamientos. Pero sus acciones me han hecho un daño muy profundo y han alterado el curso de mi vida. Lo perdono, no porque tengo deseos de hacerlo, sino porque tú me has mandado hacerlo."

Eso fue lo más difícil, pero aún no había terminado, porque todavía sentía resentimiento e ira contra Dios. Necesitaba perdonarlo a Él también. No por hacerme nada malo; Él no puede pecar. Pero había opciones que Él escogió no ejecutar en su soberana sabiduría. No había impedido la violación sexual ni el embarazo. No me avisó para que yo hubiera podido evitar el peligro. No intervino de ninguna manera. Sentía como si Él me hubiera dejado completamente sola. Si iba a tener estas cosas en su contra, entonces me estaba aislando de Él, y Él era lo único que tenía en este momento.

"Señor, admito que estaba equivocada por hacerte responsable de mis circunstancias. Nunca prometiste que estaría libre de dolores. Me doy cuenta de que he estado enojada contigo por no venir en mi auxilio, por no impedir esto. De ahora en adelante, quiero agarrarme bien fuerte de ti."

Finalmente, tuve que perdonarme a mí misma. Por ser tan ingenua y confiada. Por no elegir correctamente. Por no vivir a la altura de mi fantasía de Doris Day. Por no ser capaz de manipular todos los hilos de mi vida y hacer que todo saliera bien. Por no "triunfar" como pensaba que todos debían "triunfar". Tuve que darme cuenta de que estaba bien ser yo misma tal como Dios me había creado y reconocer que necesitaba la ayuda de Dios.

La luz temprana del amanecer estaba comenzando a llenar mi sombrío cuarto en el motel. Había hablado con Dios en alta voz durante varias horas y ahora sentía una nueva libertad maravillosa dentro de mí. Mi intensa ira y mi resentimiento se estaban disolviendo mediante mi confesión a Dios y su perdón. La culpa de mis pecados se estaba disipando. El aislamiento de mi familia, que tan intensamente había sentido, ahora había desaparecido. Estaba libre de mi ira y de mi deseo de venganza. Se estaban desvaneciendo los obstáculos entre Dios y yo, de los cuales no había estado consciente.

Sentía que mi vida vieja había desaparecido y una nueva vida había comenzado. ¡Qué irónico, pensaba, que la vida que estaba creciendo dentro de mí era realmente el agente que me había traído al nacimiento de mi andar espiritual con Dios! Ahora me daba cuenta cuán poco yo había experimentado de Cristo. Le había entregado sólo una parte muy pequeña de mi vida en Filadelfia y un poquito más hacía unos días en el auto cuando me enteré de que estaba embarazada.

Ahora estaba empezando a experimentar una relación mucho más profunda con Él. Él era real, tan real como si estuviera físicamente sentado en esa silla junto a mi cama mientras hablaba con Él. Había un sentimiento de esperanza de que Dios estaba tomando esta horrible situación y convirtiéndola en algo que me haría acercarme más a Él.

"Señor, no quiero perder este sentir de tu presencia. Siento que éste es un nuevo comienzo. Ahora sé que eres real y quiero asirme fuertemente de ti. No tengo esposo, ni madre ni padre, ni siquiera un buen amigo en este momento. Señor, tú tendrás que tomar el lugar de ellos. Tú serás mi esposo, mi padre, mi madre, mi amigo."

Mientras la luz comenzaba a hacerse más fuerte afuera, decidí tratar de dormir algunas horas antes de reanudar mi viaje. Mi perspectiva había cambiado tanto en éste pequeño cuarto del motel. Anoche al atardecer mi vida parecía tan desolada. Ahora, mientras salía el sol, tenía una sensación de tibieza que me hacía mirar al futuro con un sentir de aventura. ¡Mira lo que ha sucedido ya en sólo una noche! Claro, había muchas incertidumbres. Pero ahora yo sabía que no estaba viajando sola. Mientras me iba quedando dormida pensé: *Lee, tienes que mantenerte conectada con esto.* Y me pregunté: *¿Puede esto realmente durar o estoy nada más experimentando una purificación que desaparecerá en un par de días?*

# 5

# Encontrando mi camino

Había un sentir de aventura mientras alcanzaba las cumbres de las colinas sobre Los Ángeles y me encaminaba hacia el *smog*. ¡Así que éste era el hogar de los "Beach Boys"! Bueno, sin duda ellos no estaban cantando acerca de una "jovencita surfista" que estaba embarazada. Pero para alguien de un barrio pobre de Filadelfia, las palmas, las playas de arena blanca y las carreteras me llenaban con mucha emoción.

Desde mi punto de vista humano, el futuro estaba lleno de incertidumbres. Pero estaba muy consciente de que no estaba viajando sola. El sentido caluroso de mi encuentro con Dios en el cuarto del motel había permanecido muy real cuando me desperté de mi siesta de dos horas y aún ahora continuaba conmigo. "Solamente — oré —. No necesito ningún lujo. Sólo comida y albergue. ¡Tu amor ha sido ya muy pródigo!" ¡Que consolador era saber que podía hablar con el Señor e incluirlo en todos mis pensamientos divagadores!

Mientras pasaba por el centro de Los Ángeles, se me ocurrió que tenía que mantener esta relación, pero no estaba segura de cómo hacerlo. *Tengo que* encontrar otras personas que sientan la misma vida, pensé para mí misma y Dios. *Me ayudaría mucho en los próximos meses si tuviera algún apoyo de personas que compartan esta misma relación con Cristo.* Decidí que tan pronto como me estableciera en mi nuevo hogar, buscaría una iglesia.

No me tomó mucho tiempo encontrar la casa del Tío Howard. Era una vieja casa gris y azul de dos pisos justamente frente a la playa. Debía de haberse construido en la década de los años veinte, porque parecía algo así como un viejo barco: ventanas como portillas, chimenea como la de un barco y cubierta en el segundo piso.

Toqué en la puerta del frente, pero nadie respondió. Con vacilación moví el picaporte y la puerta se abrió. Me saludó un horrible olor a humedad, como si esta casa hubiera estado herméticamente cerrada por años. Dos hombres de más de setenta años estaban adentro, fumando habanos y mirando televisión en sillones rellenos. Uno era el Tío Howard y el otro era un hermano mayor que obviamente estaba mal de salud. En seguida supe que los dos vivían allí y estaban contentos de verme. Ya sea que me gustara o no, obviamente esperaban que yo fuera su ama de llaves, que hiciera la lavandería, cocinara y cuidara de ellos. Doris Day estaba totalmente fuera del cuadro en este momento. Yo sería más bien como Hazel la criada.

Sin embargo, no había mucho donde escoger. Era obvio que no se había limpiado esta casa por muchos años. Ceniceros repletos de cenizas estaban esparcidos por la desarreglada sala. Cuando busqué en la cocina algo de comer, vi platos sucios acumulados sobre el mostrador y comida vieja y basura que habían atraído un ejército de hormigas. Yo ni siquiera podía pensar en comer en medio de semejante suciedad. A ellos no parecía importarles lo sucia que estaba la casa, pero a mí sí. Dejé mis maletas en el cuarto extra en el piso alto y de inmediato comencé una campaña de limpieza rápida. Necesité prácticamente toda mi energía para lograr abrir un par de ventanas. Esa acción más sacudir, sacar la basura y vaciar todos los ceniceros ayudó a aclarar algo del olor a aire rancio.

Me sorprendí cuando descubrí que el Tío Howard no era totalmente ciego. Veía lo suficiente como para moverse fácilmente alrededor de la casa, encontrar las cosas en la cocina, mirar televisión y aun atravesar la calle. Su visión estaba dañada, pero él parecía deleitarse en la lástima que recibía porque su familia pensaba que él era ciego.

Mis temores acerca de las condiciones de mi vivienda habían sido ciertos, pero ¿qué podía hacer? Esta era la primera prueba de mi confianza en Dios. Cada noche pasaba tiempo leyendo la Biblia y encontré una respuesta en Filipenses: "Todo lo que es verdadero, todo lo honesto, todo lo justo, todo lo puro, todo lo amable, todo lo que es de buen nombre; si hay virtud alguna, si algo digno de alabanza, *en esto pensad*" (Filipenses 4:8; cursivas añadidas). Yo podía escoger mirar a esta miserable situación y decir: "Me voy de aquí, ¡y pronto!" O podía agradecer a Dios por lo que Él había provisto para mí en este momento y reconocer que yo podía servir a Dios ayudando a estos dos ancianos. Decidí hacer esto y sacar el mejor partido de la situación. Por lo menos tenía un cuarto para mí sola, lo cual era algo que nunca antes había disfrutado.

Me tomó menos de una semana encontrar un trabajo como secretaria en un viejo hotel frente a la playa. Entonces comencé a buscar una iglesia. No veía ninguna de las hermosas estructuras góticas como aquellas a las que asistía en Filadelfia. Las iglesias "estilo California" lucían simplificadas y modernas. El primer domingo visité una iglesia que quedaba a sólo unas cuadras. El culto parecía enfatizar las actividades sociales y las causas políticas sin ninguna mención de la Biblia. Yo sabía que esto no era lo que necesitaba. La semana siguiente visité una iglesia de ciencia religiosa porque tenía una cruz en su edificio. No escuché mencionar a Jesucristo ni una sola vez en todo el transcurso del culto.

Estas dos experiencias me enseñaron lo que yo necesitaba en una iglesia. Tenía que enseñar la Biblia y tenía que honrar a Jesucristo. Así que busqué en las páginas amarillas de la guía telefónica y ¡no podía creer la larga lista de denominaciones! Sólo en la lista de bautistas había por lo menos media docena de diferentes clases de iglesias. Bajo el anuncio de una iglesia bautista encontré la frase "Donde se enseña la Biblia". Decidí que allí sería donde haría mi próxima visita.

La iglesia era un edificio grande, sólo lleno hasta menos de la mitad. Quizás habría unas trescientas personas escuchando a un predicador monótono, nada parecido a Billy Graham. Sin embargo, habló de Cristo y predicó de la Biblia. Y, al igual que Billy Graham, invitó a la gente a pasar al frente y recibir a Jesucristo. Eso era suficiente para mí.

Después del culto una mujer grande y gorda con una sonrisa igualmente grande me saludó y me dijo:

— ¿Adónde vas a almorzar, muchacha?

Esta fue mi introducción a Villa (Mamá) Croft. La seguí a ella y a su bajito y delgado esposo ("B.B.") a una pequeña casa a media cuadra de la iglesia.

— Veamos qué tenemos en el refrigerador — dijo mientras empezaba a sacar huevos y otra variedad de alimentos.

— Acabas de mudarte aquí, ¿cierto? — dijo mientras comenzaba a cocinar huevos, maíz a medio moler y panecillos.

— Sí, ¿cómo lo supo?

— Lo puedo adivinar — dijo ella haciendo un guiño con sus ojos —. Mamá Croft puede descubrir una muchacha solitaria y hambrienta. Ahora descansa y ponte cómoda como en tu casa. Tal vez no tengamos mucho, pero nos encanta compartir lo que tenemos. ¿No es cierto que el sermón de esta mañana fue un gran sermón? Nunca es demasiado el tiempo que pasamos con la Biblia. No, señora. Carol, ven acá para que conozcas a Lee.

Carol era la hija de los Croft de treinta años de edad y acababa de entrar en la casa con sus dos pequeños niños.

— Carol está viviendo con nosotros ahora — dijo Mamá después de las presentaciones —. ¿Verdad que estos son los niños más preciosos que has visto? Es una vergüenza que su padre los haya abandonado. Él simplemente se levantó un día y se fue. No tenían a dónde ir, así que, desde luego, les dijimos que se mudaran aquí . . .

Mamá continuó hablándome como si yo hubiera sido un miembro de la familia por mucho tiempo. No había mucho espacio alrededor de la mesa de la cocina, pero todos nos apretamos y comimos con abundancia. Por la manera en que me incluyeron, percibí que no era la primera "descarriada" que habían invitado a comer. Me parecía increíble el amor que percibía de Mamá y Papá Croft. Obviamente se sacrificaban por su hija y sus nietos, pero, al igual que comida, había más que suficiente amor para todos. ¡Qué ironía que yo había visto tanta gente que trataba de conservar el poco de amor y aceptación que tenía! ¡Esta pareja no sólo tenía suficiente para sí mismos, sino que tenían para repartir! Nunca antes había visto una familia como ésta.

— ¿Por qué no vuelves esta noche y visitas nuestro grupo de solteros? — me sugirió Carol después del almuerzo.

— ¿Grupo de solteros? — pregunté.

Ella se reía mientras lo describía.

— Bueno, no somos muchos. Un puñado de solteronas y un par de sujetos dignos de lástima. Pero pasamos un buen rato. Estudiamos la Biblia y en cierto sentido, nos damos ánimo unos a otros.

Así que comencé a ir a la iglesia los domingos y los miércoles por la noche y participaba en el grupo de solteros. Me sentía contenta de que todavía no se notaba que estaba embarazada porque así era fácil encajar en el grupo. Pero estos jóvenes adultos no habían tenido un nuevo convertido por algún tiempo y no estaban preparados para mis ideas "no bautistas". En una reunión temprana estábamos hablando acerca de la falta de dinero en el fondo de los solteros, así que levanté la mano e hice una sugerencia.

— ¿Por qué no hacemos un baile de figuras en el salón de sociales? Podemos traer paja y pedir que todos vengan vestidos en trajes del oeste . . .

La expresión de asombro en los rostros del grupo me hicieron detenerme en medio de la frase. Obviamente ellos no creían que esto era una idea genial procedente de Dios. Carol salvó la situación. Poniéndose de pie, me rodeó con su brazo y dijo:

— Vamos, señores, Lee no conoce todas las reglas que tenemos aquí.

Mientras me sentaba, ella me susurró:

— Tendremos que postergar esa idea por ahora. Quizás lo podamos hacer en otro momento.

Yo estaba desconcertada. No conocía a *nadie* que no bailara. ¡Y estas personas lucían tan felices y tan bien adaptadas! Me imagino que tenía mucho que aprender.

El grupo comenzó a encontrar que mis observaciones acerca de las Escrituras eran divertidas y, de cuando en cuando, desafiantes y profundas. Un hombre mayor de pelo gris daba la lección de Escuela Dominical de una vieja y aburrida guía para líderes. Parecía que todo el mundo había escuchado todo este material por años. Pero todo era nuevo para mí. Todas las cosas parecían aplicarse directamente a mi persona y lo consideraba como alimento espiritual que estaba ayudando a prepararme para las pruebas que tenía por delante. El grupo se reía y toleraba mi entusiasmo, porque yo no tenía el punto de vista "fundamentalista" en ninguna cosa.

Un domingo estábamos hablando acerca de Jesús y sus discípulos y se hizo referencia a la madre de Jacobo y Juan, quien le pidió a Jesús que colocara a sus hijos a su mano derecha e izquierda. De inmediato pensé en las madres judías que había conocido en Filadelfia.

— ¿Pueden ustedes imaginarse a una madre judía grande y enérgica abriéndose camino a través de la multitud? — dije al grupo cuando nos invitaron a compartir nuestros comentarios —. Ella está diciendo: 'Así que, ¿quién se va a sentar a tu mano derecha e izquierda? Estos muchachos tan excelentes . . . no debes pasarlos por alto.' Jacobo y Juan deben de haber sentido que se morían de la vergüenza.

La clase se rió de mi "auténtico" acento judío. Pero yo no estaba diciéndolo para hacer un chiste. Continué para señalar lo siguiente: "¿No es esto sorprendente, esta madre diciéndole a Dios lo que tiene que hacer? ¿Pero no hacemos nosotros lo mismo? Sé que lo hago yo. Quiero decirle al Señor qué es lo que tiene que hacer.

— Tienes razón — contestó el maestro —. Nunca había pensado acerca de este pasaje de esa manera. Esa es una buena aplicación.

El almuerzo con los Croft después del culto del domingo por la mañana llegó a ser una rutina para mí. Estaba comenzando a abultarme ligeramente en el frente, pero no creo que ninguno de ellos lo notó. O si lo notaron, posiblemente pensaron que era por su buena comida. Yo no le había dicho a nadie que estaba embarazada, pero sabía que no podía ocultar lo que era obvio por mucho tiempo más.

Fue sorprendentemente fácil decir a Mamá y Carol Croft mi secreto. Mi primera reacción al asalto sexual y al embarazo había sido normal: "¿Qué fue lo que hice mal?" También había tenido una urgencia desesperada por esconder mi vergüenza. Ahora, por primera vez, estaba experimentando amor incondicional y me sentía segura. Estaba comenzando a verme a mí misma en una nueva luz. No era una fracasada, responsable y merecedora de cada mala experiencia. Un domingo después de la comida les dije abruptamente a Mamá y Carol que estaba embarazada. Para mi gran alivio, no pareció perturbarlas en lo más mínimo. Carol estuvo de acuerdo con la sugerencia de Mamá Croft de comunicarlo al grupo de solteros durante un momento en el cual yo no estuviera presente, para que no se sorprendieran.

Esta experiencia me mostró cuánto podía confiar en esta querida familia. Era como si Dios me estuviera dando una madre y una hermana para reemplazar la familia que había perdido. Ahora sentía un deseo creciente de contarle a alguien lo de la violación y sentí que podía confiar a Carol este secreto. Una tarde reuní todo mi valor y le conté las circunstancias de cómo se me había violado. Ella obviamente se horrorizó, pero con todo pareció comprender y compadecerse. Su ira estaba dirigida no hacia mí, sino hacia la injusticia de la situación.

— ¿Diste parte a la policía?

— No, yo no veía ningún sentido en hacerlo — admití avergonzada.

— ¿Por qué no? Ese miserable debiera haber sido enjuiciado.

— Pero yo pensaba que era contra la ley sólo si la muchacha era menor de diecisiete años.

— ¿De dónde sacaste esa idea? La violación sexual es un delito. Si no lo denunciaste, ese hombre puede ir y hacerle daño a alguien más.

— Yo también tenía miedo por mi madre. Ella no hubiera podido soportar la vergüenza.

— Nunca le diste la oportunidad — dijo Carol —.

Bueno — continuó más despacio —, debieras haberlo denunciado. Pero los 'debieras haber' no cuentan ahora. Lo hecho, hecho está. Lo importante es que tú estás aquí ahora — me alentó mientras me tomaba la mano — y nosotros vamos a ayudarte a atravesar esto.

Carol le dio a su madre esta información y ella también fue muy comprensiva.

— Tú sabes, querida, Dios obra su propósito a través de todas estas situaciones en nuestra vida. No sabes a dónde te llevará esto.

Yo estaba llegando a una conclusión similar en mi propio estudio de la Biblia. Cada día pasaba una hora o más leyendo y meditando en ella. Era como un bálsamo para mis emociones heridas y mantenía ardiendo con fuerza el fuego de mi renovada relación con Dios.

Uno de los temas que encontraba muy repetidos era el del agradecimiento:

*Dad gracias* en todo, porque esta es la voluntad de Dios para con vosotros . . .

1 Tesalonicenses 5:18

Todo lo que hacéis, sea de palabra o de hecho, hacedlo todo en el nombre del Señor Jesús, *dando gracias* a Dios Padre por medio de él.

Colosenses 3:17

Por nada estéis afanosos, sino sean conocidas vuestras peticiones delante de Dios . . . con *acción de gracias.*

Filipenses 4:6

Después de haber sido sacudida repetidamente por este mensaje, me di cuenta de que tenía que practicar la acción de gracias. Esto no significaba que tenía que darme por vencida en mi situación, sino que significaba que necesitaba concentrarme en las cosas buenas que Dios estaba haciendo y confiar en que Él me ayudaría a atravesar las cosas negativas que quedaban en mi vida. Y así practiqué el ser agradecida: "Gracias, Señor, por darme un lugar donde vivir. Gracias por una iglesia donde puedo aprender más acerca de ti. Gracias por el grupo de los solteros que me acepta. Gracias por Mamá y Papá Croft y Carol, que me aman como si fuera un miembro de la familia. Gracias por el amigo de la iglesia que me prestó su auto para que Zoe puediera tener el suyo. Gracias por un buen trabajo que me da suficiente dinero para suplir mis necesidades."

No encontré ningún pasaje de las Escrituras que dijera que la tristeza y las pruebas serían eliminadas de mi vida, pero encontré promesas que me aseguraban que Dios estaba conmigo en mis tribulaciones. Me asía de las promesas que escribió el apóstol Pablo:

> Si Dios es por nosotros, ¿quién contra nosotros? . . . ¿Quién nos separará del amor de Cristo? Tribulación, o angustia, o persecución, o hambre, o desnudez, o peligro, o espada? . . . Antes, en todas estas cosas somos más que vencedores por medio de aquel que nos amó. Por lo cual estoy seguro de que ni la muerte, ni la vida, ni ángeles, ni principados, ni potestades, ni lo presente, ni lo porvenir, ni lo alto, ni lo profundo, ni ninguna otra cosa

creada nos podrá separar del amor de Dios,
que es en Cristo Jesús Señor nuestro.

Romanos 8:31,35,37-39

Esto me convenció de que ninguna cosa que resultara de mi violación sexual tenía que interponerse entre el amor de Cristo y yo. Era otra razón por la cual estar agradecida, porque yo veía cómo esta experiencia estaba verdaderamente llevándome más cerca de Dios. Entonces vi el amor de Dios mostrado otra vez en una situación potencialmente devastadora.

Sucedió tarde una noche cuando estaba quedándome dormida en la casa de los "viejos excéntricos". Repentinamente el Tío Howard irrumpió en mi cuarto.

— ¿Qué sucede? — grité.

Él no respondió, sino que comenzó a acercarse a mi cama con una intención en su mente que era obvia. Me levanté de un salto y empujé la cama entre los dos.

— ¡Deténgase, viejo verde!

— ¡Yo no voy a hacerte daño! — dijo burlonamente mientras se subía a la cama y se preparaba para saltar sobre mí.

— ¡Aléjese de mí! — grité.

Me fui de prisa alrededor de la cama y me disparé por la puerta y hacia abajo por las escaleras. El hermano del Tío Howard escuchó la conmoción y salió a ver qué estaba pasando. Esto me dio tiempo para telefonear a Mamá Croft.

— Es Lee. Rápido, por favor, venga a buscarme. ¡Estoy en problemas!

Los dos viejos estaban ahora discutiendo, así que

velozmente eché mis pertenencias en bolsas de compras. En cinco minutos Mamá Croft irrumpió en la casa como la Mujer Maravilla, vestida sólo en su camisa de dormir y una bata encima. El fuego en sus ojos silenció de inmediato al Tío Howard, quien retrocedió por las escaleras hacia arriba.

— ¡Vamos, querida!

Tomó tres de mis bolsas, me agarró por el brazo y me llevó derecho al auto.

Mientras nos dirigíamos a su casa, Mamá dijo:

— Ahora no te preocupes absolutamente de nada. Mamá Croft va a cuidarte. Te arreglaremos un lugar donde dormir en la casa y te quedarás con nosotros hasta que tengas tu bebé.

Por la manera en que lo dijo, supe que esto no estaba abierto para discusión. Ella hablaba muy en serio. Dios no tuvo que decirme que fuera agradecida en esta situación. Sucedió naturalmente. Nunca había sido tan obvio que Él me estaba cuidando.

# 6

## Refugio de amor

Los Croft eran buenos samaritanos de la era moderna. Ellos realmente no tenían espacio para mí en su casa, pero hicieron el espacio de todas maneras. Se usaba cada espacio disponible como dormitorio. Yo compartía un cuarto con los niñitos de Carol. Esta casa no tenía nada lujoso, ni muchas pequeñas comodidades, sino justamente lo esencial. Papá Croft, que estaba aproximándose a la edad de jubilación, trabajaba cerca para la Compañía Hughes Aircraft. No eran pobres, pero los Croft ponían su dinero en las personas más bien que en posesiones materiales. Tenían el raro don de la generosidad, porque su mundo era tan grande que siempre había lugar para los que estaban en necesidad o eran indeseados para otros. Muchas veces en que nos sentábamos para comer había un extraño a la mesa con nosotros y estos invitados siempre sabían que era el amor de los Croft por Cristo lo que los impulsaba a ministrar de esta manera.

Aquí yo estaba en paz por primera vez en muchos meses. Aquí estaba en un refugio contra la contienda y la falta de armonía; no habría más ataques inesperados y espantosos. Pero también estaba aprendiendo a no poner mi esperanza en esta familia o en ninguna situación humana. No era un espíritu cínico, sino más bien una convicción de que Dios estaba cuidándome ahora y que podía continuar confiando en que Él maravillosamente proveería para mí.

Cada día estaba haciéndose más evidente que el bebé estaba creciendo dentro de mí. Pero con ese crecimiento también estaba creciendo mi amor por Cristo. Desde aquella noche de oración en un motel de California central, mi deseo de conocer a Cristo y hacer su voluntad había reverdecido. Yo sentía que su amor estaba produciendo en mi vida un contentamiento que nunca antes había conocido. Había también una esperanza quieta mientras esperaba ver a Dios obrar en mis circunstancias. Aun en la continua zozobra de mi embarazo había perdido todo deseo de atacar a Dios. Él estaba definitivamente convirtiendo una situación fea en algo hermoso.

Más y más el bebé estaba llegando a ser una persona real para mí. Comencé a sentir ciertas esperanzas y expectativas acerca de él. ¿Se parecería a mí? ¿Qué clase de personalidad y temperamento e intereses tendría? ¿Crecería para amar a Dios de la manera que yo lo amaba? Me descubrí a mí misma *deseando* este bebé y anhelando para él la mejor vida posible.

Una tarde leí en el Salmo 139: "Porque tú formaste mis entrañas; tú me hiciste en el vientre de mi madre. . . . Estoy maravillado, y mi alma lo sabe muy bien. No fue encubierto de ti mi cuerpo, bien que en oculto fui formado, y entretejido en lo más profundo de la tierra. Mi embrión vieron tus ojos, y en tu libro estaban escritas todas aquellas cosas que fueron luego formadas, sin faltar una de ellas" (Salmo 139:13-16).

Esas palabras me recordaron poderosamente que este bebé no era un error. Este no era un niño "ilegítimo". Sí, había habido un acto ilegítimo e ilegal. Pero la vida dentro de mí estaba ahora en las manos de Dios y no había nacimientos ilegítimos siendo que fue Dios quien creó la vida. Dios hizo toda vida humana legítima, independientemente de las circunstancias que rodeen la concepción.

Poco después que me mudé con los Croft, asumí un papel de liderazgo con el grupo de los solteros. ¡Era una locura pensar en una líder de solteros embarazada! Muy pocos en el grupo sabían que el embarazo era el resultado de una violación, pero con todo no hicieron juicios acerca de mi virtud. Ni tampoco los cristianos más viejos en la iglesia me presionaron a una confesión que pudiera satisfacer su curiosidad. Por el contrario, me demostraron su amor por Cristo amándome, lo que me hizo desear mucho más vivir mi vida para Cristo.

Yo estaba aprendiendo muchas lecciones prácticas a través de la iglesia. Toda la Biblia estaba haciéndose viva, aun el Antiguo Testamento. Parecía que no encontraba suficientes historias de hombres y mujeres que habían sufrido y visto a Dios obrar. Una de las historias más significativas era la de José. ¡Qué trato más pésimo! Este muchacho inocente se encontró como víctima de las circunstancias sobre las cuales no tenía absolutamente ningún control. Por causa de que José era el hijo favorito de su padre Jacob, sus celosos hermanos conspiraron en contra de él y lo vendieron a unos comerciantes que pasaban, y éstos lo transportaron a Egipto.

El pobre Joselito no podía descifrar lo que le había acontecido. Llegó a ser un esclavo por las acciones terroristas de sus propios hermanos. ¿Cómo podía esto habérsele escapado a Dios? ¿Estaba Dios dormido, o en el receso? Por seguro Él no podía haber estado implicado en esta estratagema.

Pero todo fue de mal en peor. José hizo un gran trabajo para su amo y todo iba bien hasta que la esposa de su jefe lo acusó de tratar de seducirla. Durante los próximos años, José languidecía en la prisión mientras se agudizaba su don de discernir el significado de los sueños.

Entonces llegó el día en que Faraón necesitó que le interpretaran un sueño perturbador y José era el único que podía hacerlo. José informó correctamente al gobernante que Egipto tendría siete años de abundancia seguidos por siete años de hambre. José recomendó que Faraón almacenara una porción de su cosecha durante los primeros siete años para proveer durante el hambre. Faraón quedó tan impresionado que nombró a José para supervisar el proyecto y lo hizo el segundo después de sí mismo.

Aquí era precisamente donde Dios quería que José estuviera. Así que, ¿qué podía decir yo? Dios no hizo que sucediera todo lo malo, pero sí permitió que las circunstancias obraran dentro de su plan global.

Para ayudarme a entender esto, me imaginé a Dios operando su computadora divina. Una computadora sólo puede trabajar tan bien como la información con que se alimenta. Como en el caso de José, mi información era limitada, pero Dios tenía todos los hechos. Él nunca se sorprende o se alarma con nuestros problemas. Sabía cómo los problemas de José encajarían en el cuadro total y José estuvo dispuesto a permitir que Dios lo coordinara.

José no pudo ver el propósito de sus pruebas hasta que sus hermanos vinieron mendigando grano durante el hambre, probablemente veinte años o más después de haber vendido a su hermano. Esta hubiera podido ser una oportunidad para vengarse. Pero por el contrario, José, después de revelarse a sus hermanos, les dijo: "No os entristezcáis, ni os pese de haberme vendido acá; porque para preservación de vida *me envió Dios* delante de vosotros" (Génesis 45:5).

El punto de importancia para mí era que no fue Dios quien hizo la mala acción, sino los hermanos de José. José reconoció ese hecho, pero también se dio cuenta de que Dios no intervino y los detuvo porque Él iba a usar esa mala acción. "Dios me envió delante de vosotros", dijo José (Génesis 45:7). Lo resumió bien después que su padre murió y sus hermanos estaban temerosos de que José ahora se vengara: "Vosotros pensasteis mal contra mí, *mas Dios lo encaminó a bien*, para hacer lo que vemos hoy" (Génesis 50:20).

¡Qué ejemplo más digno de imitar! Antes que tratar de descifrar quién era el culpable de mis circunstancias, yo necesitaba reconocer que Dios tenía un plan. *Había un propósito en mi dolor*. Aunque mi atacante había intentado hacerme daño, de alguna manera Dios lo usaría para bien. Cuando fui capaz de aceptar que mis circunstancias actuales eran buenas, aun cuando había maldad en el proceso de llegar a este punto, pude descansar. Dios estaba transformando el mal que me habían hecho en un bien.

Leí otro versículo del Antiguo Testamento que confirmaba esta verdad: "Porque yo sé los pensamientos que tengo acerca de vosotros, dice Jehová, pensamientos de paz, y no de mal, para daros el fin que esperáis" (Jeremías 29:11). Yo tenía que creer esta promesa aun si nunca veía o entendía el cuadro completo de lo que Dios estaba haciendo.

¿Cuál fue entonces mi reacción? Antes yo había dudado de Dios y le había preguntado: "¿Por qué yo?" Dios había respondido: "¿Por qué no tú?" y yo me había dado cuenta de que nadie estaba libre de problemas. Ahora mi pregunta era: "Señor, *¿me encomiendas esto?*" Esto no era un accidente, algo que se había escapado de su escritorio. Él había decidido que podía *encomendarme* este problema. Cuando la petición había pasado por su escritorio, había estampado "Sí" sobre ella. No esperaba que yo me las arreglara sola. Él estaba conmigo.

Decidí que si Dios pensaba que podía encomendarme este embarazo, entonces yo necesitaba creer que todo obraría dentro de su plan para mi vida, para mi beneficio más bien que para mi destrucción. Aceptaría que esta situación difícil había sido diseñada a la medida por el Gran Carpintero para conducirme más cerca de la madurez. Necesitaba considerarme como una depositaria más bien que como una víctima y encomendar a Dios el desenlace.

Un domingo por la mañana el pastor usó dos ilustraciones en su sermón para explicar lo que significaba confiar en Dios. La primera historia trataba de un hombre que estaba trabajando en su techo cuando se resbaló hasta quedar colgando del canal por la punta de sus dedos, suspendido a veinte pies encima del suelo. Clamó:

— Dios, ¿hay alguien allá arriba que pueda ayudarme?

Una voz desde el cielo retumbó:

— Confía en mí y suéltate.

El hombre consideró esto por un momento y entonces clamó otra vez:

— ¿Hay algún otro allá arriba que pueda ayudarme?

El pastor señaló el hecho de que nosotros tenemos una tendencia a aferrarnos a las cosas y negarnos a "soltar y encomendar a Dios". Sin embargo, cuando seguimos aferrados a esas cosas, nos mantienen en cautividad. Presentó un segundo ejemplo acerca de cómo se capturan los monos en el bosque. Conociendo su curiosidad, los captores vacían un coco hasta dejarlo hueco y colocan una golosina dentro. Más tarde, algún mono meterá la mano para sacar la golosina, pero encuentra que no puede sacar su puño a través del hueco sin soltar la golosina. Indefectiblemente, se niega a soltarla y lo capturan.

Estas dos ilustraciones y la historia de José me ayudaron a ver que — incluso mis sueños rotos del pasado y mis esperanzas para el futuro — y permitir que mis sueños y mis expectativas se concentraran en Dios. Al hacerlo, sentí una nueva libertad, como si Dios hubiera añadido aún otra pieza del rompecabezas en el proceso de contestar mis preguntas.

Ya tenía siete meses de embarazo durante la estación navideña mientras participaba cantando *El Mesías* de Handel. Descubrí que la exquisita música tenía un nuevo significado para mí. Mientras el tenor solista cantaba: "Y lo torcido se enderezará, y lo áspero se allanará", yo sonreía porque sentía que esto estaba sucediendo en mi vida. Cuando el coro cantó:

"Él alimentará su rebaño como un pastor y reunirá los corderos en sus brazos, y los llevará en su regazo, y guiará tiernamente a las paridas", experimenté una sensación grata porque sentía que el Pastor estaba haciendo exactamente eso conmigo. Casi parecía extraño, pero era verdad: en medio de una situación que yo sabía que podía haber sido devastadora, Dios realmente me daba su paz.

Otro momento significativo vino precisamente después de Año Nuevo. Yo había visto varios cultos de bautismo en la iglesia y no podía creer que realmente ponían a las personas debajo del agua en lugar de rociarlas. Asistí a las clases de bautismo y aprendí que esto era una instrucción clara de la Biblia. Por cuanto la Biblia era ahora mi regla de conducta, decidí dar el paso. Con ocho meses de embarazo, esta dirigente de un grupo de solteros hizo una declaración pública, mediante el bautismo, de que mi vida vieja estaba sepultada bajo el agua y que ahora tenía una nueva vida con Cristo. Fue también un momento para renovar mi entrega a Dios públicamente.

Las lecciones que aprendía en la iglesia y la evidencia del amor de Dios en el hogar de los Croft me hicieron percatarme de cuánto deseaba que mi hijo fuera criado en un ambiente cristiano. También me di cuenta de que yo no podía proveer la clase de hogar que el bebé necesitaba; necesitaba ser criado por una madre y un padre amorosos que cuidaran de él. Yo no podía ni siquiera proveer las necesidades más fundamentales de un hogar. Al orar, llegué a la conclusión de que mi única alternativa era dar el niño en adopción.

Tuve que hacer muchas llamadas telefónicas para localizar la agencia de adopción del condado, la cual estaba escondida en la esquina de otra agencia más grande. El proceso de adopción implicó varias visitas, numerosos formularios que llenar y entrevistas con una trabajadora social. Al comenzar el proceso de trabajar con la agencia del gobierno, me pregunté si habría algunos problemas con mi petición de que el niño fuera criado en un hogar cristiano. Pero deseché la preocupación, suponiendo que la agencia automáticamente respetaría mis deseos.

# 7

# Lo natural y lo sobrenatural

Había una tensión peculiar en la agencia de adopción y nunca disminuyó durante las horas que pasé allí en cada visita. La razón en parte era la proximidad a la zona de Watts y, en parte, el hecho de que estaba situada en el medio de varias agencias sociales. El edificio viejo, las instalaciones estrechas y el mobiliario gastado parecían diseñados para comunicar la idea de que cualquiera que venía aquí era un fracasado.

En la gran sala de espera tomábamos un número y nos sentábamos en los sofás de vinil roto. Cuando se llamaba nuestro número nos asignaban a una trabajadora social que nos entregaba formularios para llenar. Entonces nos condenaban a sentarnos por una o dos horas más hasta que ella estaba lista para vernos otra vez. La mujer asignada a mi caso era grande y autoritaria y tenía un marcado acento sureño. Tenía un aire militar como si fuera un coronel del ejército. Su ceño severo parecía decir: "Aquí no estamos jugando. No hay excepciones. No me des ningún problema y te sacaré de esto lo más pronto posible."

Era fácil sentirse como si uno no fuera más que materia prima para ser procesada a lo largo de una línea de montaje. Con todo, me sentía diferente a las demás mujeres en la sala. Otras podrían considerarme un fracaso, pero yo no me consideraba así. Unos meses antes me hubiera sentido intimidada, pero ahora sentía una confiada aceptación en esta situación desconcertante. Había una paz genuina que venía del Señor mientras trabajaba en el frustrante laberinto del proceso del condado.

Algunos de los formularios eran fáciles de llenar mientras que otros eran casi imposibles. Uno de los formularios preguntaba detalles familiares de la procedencia de la madre y del padre, raza de la familia y nacionalidades, lugares de nacimiento, direcciones, hermanos y hermanas, educación, talentos artísticos y deportivos, historia médica, experiencia en carrera, registros militares y más y más. Todo esto supuestamente ayudaría a la agencia a colocar al niño en el hogar adecuado. Era todo selección múltiple: marque la casilla apropiada.

— Ahora estamos en computadora — anunció orgullosamente la trabajadora del caso.

Yo no entendía cuáles eran las capacidades de la computadora, pero me preguntaba cómo esta agencia arcaica era capaz de operar una.

En la parte del padre en el formulario, yo no tenía nada que ofrecer sino sólo el nombre. Sorprendentemente, esto no pareció preocupar mucho a la trabajadora social. Quizás su nombre estaba depositado en el misterioso sistema de la computadora donde estaba archivada una gran cantidad de información sobre este hombre. Si era así, no se me ofreció a mí ninguna de esa información.

En mi parte, no hice mención del alcoholismo de

mi padre. No sabía lo que mi hijo aprendería acerca de mí más tarde, así que, ¿para qué poner algo que pudiera causar pena innecesaria?

Había una sección en uno de los formularios que me permitía expresar preferencia religiosa. Las selecciones eran católico, protestante, judío, o ninguna. Cuando tuve mi primera entrevista con la coronela, ella había revisado el formulario para asegurarse de que se habían llenado todas las casillas y había dicho:

— Usted no marcó en qué religión quiere que se críe su bebé.

Me entregó el formulario y me señaló las selecciones.

— ¿Quiere católico, protestante, judío, o no tiene preferencia? — dijo, arrastrando las palabras.

— Yo quiero que a mi hijo lo críe un protestante que crea en la Biblia — respondí.

Instantáneamente supe por su mirada enojada que me había metido en un lío.

— No hay ninguna casilla para eso, señorita. Ahí tiene las selecciones. No me esté dando problemas.

Esta era una verdadera prueba de voluntades. En este momento, este bebé "deseado" estaba a mi cargo y yo creía que Dios quería que hiciera todo lo que estuviera a mi alcance para asegurar que fuera cuidado adecuadamente. Siendo que las únicas personas dedicadas y amorosas que había conocido eran de mi iglesia que creía en la Biblia, era natural que pusiera una X grande en la casilla que marcaba protestante. Entonces, al pie del formulario escribí: "Preferiblemente bautista o un hogar que crea en la Biblia", y dibujé una gran flecha desde la casilla hasta mi respuesta.

La mujer levantó las cejas para mostrarme su exasperación mientras revisaba el formulario. Esto era más precisión de lo que su sistema podía tolerar. Me preguntaba si ella pensaría que yo estaba tratando de probarla, o estaba siendo arrogante o combativa. Quizás ella me diera alguna vaga promesa de atender mi petición, sabiendo que no haría ninguna diferencia.

— Usted no puede poner ninguna cosa extra aquí — me anunció —. Ahora estamos en computadora. Tache esta 'preferiblemente' y lo demás. Tiene que marcar una u otra casilla.

— En ese caso, no firmaré el formulario. No puedo poner este bebé a la disposición de cualquiera. Voy a hacer todo lo que pueda.

Me miró con enojo por un momento, y luego cerró con violencia el archivo del caso.

— Hablaremos de esto la próxima vez.

Entonces, mascullando algo entre dientes, me dio una tarjeta con mi próxima cita anotada y me despidió.

En los días que siguieron pensé mucho en aquella confrontación. Pensé en cómo Poncio Pilato había tratado de impresionar a Jesús con su autoridad, algo así como aquella trabajadora social había tratado de intimidarme. Jesús le respondió: "Ninguna autoridad tendrías contra mí, si no te fuese dada de arriba" (Juan 19:11). Jesús no estaba siendo beligerante, sino que simplemente estaba declarando una realidad. Me sentí fortalecida al saber que esta mujer no tenía poder para determinar a dónde iría el bebé.

¿Pero cuál era exactamente mi responsabilidad?

Para encontrar la respuesta volví a leer la historia de Moisés, que habíamos considerado en la clase de escuela dominical algunas semanas antes. El libro de Éxodo comienza con una descripción del pueblo de Israel viviendo en esclavitud en Egipto. Cuanto más maltrataban los egipcios a los israelitas, tanto más se multiplicaban. Para reducir la explosión demográfica, el rey de Egipto ordenó que todos los varones israelitas recién nacidos fueran lanzados al río Nilo, algo que los egipcios con frecuencia hacían con sus propios bebés cuando no eran normales.

En este escenario, una mujer llamada Jocabed quedó embarazada, un estado no deseado en este tiempo. Dio a luz un hijo varón y logró esconderlo durante tres meses. Como todas las madres, Jocabed pensó que su hijo era hermoso. También debe de haber tenido una fe muy grande porque desobedeció el edicto del rey y resistió el poder de Faraón. Cuando ya no pudo esconder más a su hijo, lo puso en un cesto a prueba de agua y lo escondió entre las cañas a la orilla del río Nilo. Como precaución final, puso cerca a su hija Miriam para vigilar.

En este punto, Jocabed había hecho todo lo que podía y confió en que Dios milagrosamente haría el resto. Y sucedió que la hija de Faraón y su séquito bajaron al río a bañarse y descubrieron el cesto. Cuando la princesa abrió el cesto y vio al niño llorando, sintió lástima por él y reconoció que era uno de los bebés hebreos. Miriam estaba mirando todo esto, sin duda con algún temor. Salió y sugirió:

— ¿Quiere que vaya y le consiga una de las mujeres hebreas para que se lo críe?

La princesa le respondió que fuera, y Miriam fue y llamó a su propia madre. La hija de Faraón le dijo a la madre de Moisés que tomara al bebé y lo criara, y aun le dijo que le pagaría a Jocabed por su esfuerzo.

¡Esto era increíble! Después que la madre de Moisés hizo todo lo posible, le dio a Dios la oportunidad de obrar y Dios intervino de manera milagrosa. En realidad, ¡ella hasta recibió una recompensa económica por criar a su propio hijo! Después que fue destetado, Moisés fue criado en el palacio. Aquí la familia más poderosa y — y los enemigos del pueblo escogido de Dios — educó e instruyó al futuro libertador de Israel. ¿Cómo puede el nacimiento, rescate y crianza de Moisés describirse de otra manera que como una obra del cuidado providencial de Dios?

La historia de la madre de Moisés me dio gran valor y aumentó mi fe. Esta mujer no abandonó su hijo a la suerte. No se rindió al imponente poder de Faraón. No permitió que la crítica potencial de otras mujeres determinara su línea de acción. No consideró las posibilidades de salvar su propia cabeza y por consiguiente tomar el camino más fácil y más rápido. No se rindió ni cedió a la presión, sino que entregó a su hijo a la custodia de Dios. Ella hizo lo *natural*, lo cual permitió a Dios hacer lo *sobrenatural*.

La madre de Moisés cambió su propia seguridad temporal para hacer lo que creía que era lo recto, y encomendó el resultado a Dios. Ella cumplió con su deber lo mejor que pudo. Me determiné a seguir su ejemplo. No entregaría mi bebé a la suerte. No me rendiría a la presiones de la burocracia intimidante. Haría todo lo que estuviera a mi alcance para asegurar que mi hijo se criara en un hogar cristiano y entonces lo entregaría al cuidado de Dios. Quizás mis esfuerzos no importarían. Quizás la operadora no lo ingresaría en la computadora. No había manera que yo pudiera saber esto. Pero si yo hacía todo lo que podía, estaba dispuesta a confiar en que Dios haría que se pusiera al niño en el hogar adecuado.

En mi próxima cita con "la Coronela del Caso", ella me miró fijamente y me preguntó:

— Ahora, ¿va usted a darme algún problema hoy?

Con mi sonrisa más amplia le respondí:

— No, siempre y cuando permanezca en mi solicitud esa línea acerca de que mi bebé vaya a un hogar que crea en la Biblia.

Me miró con el ceño enojado y yo la miré a ella.

— Firme aquí — me dijo bruscamente.

Firmé los papeles de adopción con mi anotación y respiré aliviada. Misión cumplida.

Al salir de la agencia esa tarde, sentí la paz de que había hecho todo lo que podía. Quizás no era mucho, pero no había límite a lo que podía hacer Dios. Él podía intervenir exactamente como lo había hecho en la vida de Jocabed y su hijo Moisés. Ahora lo único que faltaba era dar a luz al bebé.

No mucho después de haber firmado los papeles de adopción, sentí las primeras contracciones del parto. Muy temprano en la mañana del 11 de febrero de 1964, llamé a Mamá Croft:

— Creo que ya es hora de ir al hospital.

En diez minutos Mamá y Papá me conducían al hospital. Definitivamente no era el escenario de la telenovela *Hospital General*. Era un viejo edificio gris rebosando de actividad. Entré con una extraña sensación de que estaba entregando un paquete precioso que no me pertenecía. Este niño pertenecía al Señor. Dios había hecho planes para él.

Estuve de parto durante dieciséis horas. Poco

antes del parto, me dieron anestesia general y cuando me desperté un par de horas después, todo había terminado.

Me llevaron en una silla de ruedas a una sala grande donde esperé para conocer los resultados. ¿Fue un niño o una niña? ¿Estaba bien de salud? ¿No tenía pelo, como no tenía yo por más de un año después de mi nacimiento? ¿Podría cargarlo? O más bien, ¿debiera cargarlo? Quizás sería demasiado difícil emocionalmente para mí.

No pasó mucho tiempo antes que tuviera las respuestas. Una enfermera voluminosa me dijo que había tenido una niña.

— Está bien de salud — me informó de manera indiferente —. La darán de alta a usted mañana por la mañana. ¿Alguna pregunta?

— ¿Podré ver a la niña?

— ¡No! Eso causaría problemas. Será llevada a su hogar en un par de días. Ahora, usted tiene que tomar estas píldoras para que se le sequen los pechos.

No parecía justo que todo terminara tan abruptamente. Pero ahora estaba fuera de mi control. Yo estaba libre para continuar con mi vida. ¿Como si nada? "Ella es realmente como Moisés, Señor — oré —. Está realmente en tus manos. Tú puedes proveer una 'hija de Faraón' para mi hija." Aun con toda la confusión en mis emociones, conscientemente me recordé que esto era *lo mejor* para la bebé.

A la mañana siguiente, Mamá Croft me condujo a casa y dormí durante la mayor parte de los dos días siguientes. En el atardecer de la segunda noche, me senté a la mesa de la cocina con Mamá y Carol, y hablé acerca de mi futuro.

— Voy a regresar al trabajo por la mañana — anuncié.

— ¿Estás segura de que ya estás lista? — preguntó Mamá.

— Sí, lo mejor para mí ahora es regresar a vivir una vida normal. ¡Ciertamente ahora encajo mucho mejor en el grupo de los solteros! Pero seriamente, he estado pensando mucho acerca del futuro. Dos de las muchachas del grupo de solteros, Winnie y Rosalie, piensan que tengo potencialidad para liderazgo y que debiera estudiar más. Ellas me han ofrecido ayudarme a proveer los fondos para el primer año de instituto bíblico.

— ¿Lo vas a hacer?

— Estoy solicitando ingreso en el Instituto Bíblico de Los Ángeles. Trabajaré hasta entonces. He pensado que compartiré un apartamento con una de las muchachas del grupo de solteros antes que empiece la escuela.

— Sabes que siempre eres bienvenida aquí si necesitas una buena comida — dijo Mamá.

— Lo sé. Los veré en la iglesia y me mantendré en contacto. Nunca olvidaré el amor que me han mostrado.

Tuve que detenerme un momento para contener la emoción que repentinamente me estaba invadiendo.

— Saben, he aprendido mucho de ustedes y de mi situación. He descubierto que las cosas de Dios son a menudo muy difíciles de hacer al principio, pero son muy fáciles y apacibles al final. Por otra parte, las decisiones equivocadas son muy fáciles de tomar al principio, pero terminan muy complicadas y llenas de dificultades y remordimientos más tarde. Quiero agradecerles por ayudarme a tomar las decisiones justas ... las decisiones de Dios.

Cuando comencé a trabajar, no fue fácil enterrar el recuerdo de mi bebé. Tenía que consolarme diciendo: "Tendrás otros hijos, Lee. Este no será el último." Mientras oraba por mi hija, descubrí que mi ambición más grande para ella era que llegara a conocer a Cristo. Con esa oración vino un sentimiento de alivio a mi alma. Sentí que había hecho lo mejor y que podía dejar el resto al Señor y en este conocimiento encontré una medida de satisfacción.

En las próximas semanas, cuando veía a una madre con un bebé en el parque o en el supermercado, no podía evitar preguntarme si sería mi bebita. Cuando esas ansias se levantaban en mi corazón, yo oraba por mi hija y sus padres, recordándome que en realidad la bebé no era mía, sino del Señor. Había sido su idea crearla, no la mía, y Él estaría cuidando de ella de ahora en adelante. Algún día, pensaba yo, tendré un hijo propio ... en la situación debida. Quizás sería una niñita y podría criarla de la manera de la que no había sido capaz ahora.

Nunca podía escapar el hecho de que una parte de mí faltaba. Pero irónicamente, no sentía apremio por llenar ese vacío en mi vida. En un sentido no necesitaba ser llenado, porque mientras la bebé estaba creciendo en mí, Dios estaba remendando el hoyo con su consuelo. Yo pensaba en las piezas que Él ya había encajado. La lección del perdón en el pobre cuarto del motel había sido una pieza grande. Aprender a dar gracias en mis circunstancias fue otra. Entonces vino la conciencia de que nada pasa por el escritorio de Dios sin su aprobación y que hasta un aparente desastre puede encajar en su plan. También había aprendido a descargar mis problemas en el Señor y permitirle obrar después que yo había hecho todo lo que humanamente podía.

Era cierto que una parte de mí quería ver a mi hija, saber cómo estaba creciendo y aprender los detalles de cómo Dios había provisto para sus necesidades. Pero me daba cuenta ahora de que, aun cuando nunca la viera, Dios llenaría el vacío en mi vida.

La confirmación de esta verdad vino de un estante de madera para tratados al fondo de mi iglesia. Un domingo antes del culto de la noche noté un panfleto sencillo con el título "El tejedor". Mientras lo leía, sentí que era una descripción perfecta de mi vida:

> Mi vida es un tejido entre
> mi Señor y yo;
> no puedo escoger los colores
> con los que Él trabaja constantemente.
>
> Algunas veces Él teje tristeza,
> y yo en orgullo necio
> me olvido de que Él ve la parte de arriba,
> y yo la parte de abajo.
>
> Sólo cuando el telar esté ya silencioso,
> y las lanzaderas cesen de volar,
> desenrollará Dios el lienzo y explicará
> la razón por qué.
>
> Los hilos oscuros son tan necesarios
> en las manos del hábil tejedor

como los hilos de oro y plata en el
dibujo que Él ha planeado.

— Anónimo

Aquí estaba mi consuelo. No tenía ningún sentido humanamente, pero me ayudaba el saber que había un plan maestro. Había terminado un capítulo de mi vida, pero Dios veía el cuadro completo y cómo este episodio encajaba en él. Mi oración era que algún día Él me permitiera una vislumbre del cuadro que Él veía en la parte de arriba.

# 8

# Llega "el príncipe"

Hal Ezell estaba vestido de manera llamativa; su estilo en boga estaba en absoluto contraste con mi imagen de "vieja solterona". Mi vestuario de gangas obtenidas en la sección de rebajas nunca podría complementar su elegante atavío. Al darle la bienvenida a la convención en el vestíbulo del hotel en las afueras de Miami, mientras la luz se reflejaba en sus zapatos y su cinto de charol blanco, resultaba cualquier cosa menos atractivo para mí. Sin embargo, era bien parecido y encantador, y yo no podía pasar por alto el destello en sus ojos mientras hablábamos. Él había llegado de Los Ángeles para asistir a una conferencia bíblica de primavera de 1973 que yo estaba ayudando a coordinar.

Sólo algunas pocas semanas antes, nuestra oficina había sabido que la esposa de Hal, Wanda, había fallecido veinticuatro horas después de ser admitida a una sala de emergencia, dejando dos hijas de diez y trece años. La causa de su muerte fue lupus.

— Hemos estado orando por usted — le dije mientras me presentaba.

Hal expresó agradecimiento por mi preocupación

y me invitó a reunirme con él para comer un empare-
dado en la cafetería.

— Muchas personas en todo el país han orado por
nosotros — me dijo mientras nos sentábamos —. No
creo que hubiéramos podido sobrevivir sin esas ora-
ciones.

— Realmente, tengo que ser sincera y decirle que
no he sido capaz de borrarlo de mi mente — dije,
sintiendo un tibio rubor en mi rostro al darme cuenta
de lo que estaba diciendo.

Hal y yo nos habíamos conocido poco antes de la
muerte de su esposa durante otra conferencia en el sur
de California. Hal era, desde hacía mucho, vicepresi-
dente de una cadena nacional de comidas rápidas y
también estaba activo en trabajo cristiano. Su experiencia en administración y resolución de problemas hacían
de él un destacado hombre de negocios. Él había ayu-
dado a organizar la conferencia bíblica y su esposa iba
tocar el órgano; pero había tenido que cancelar a última
hora por causa de enfermedad.

Desde que la noticia de su tragedia llegó a la
oficina de Florida, yo había orado para que Dios
supliera su necesidad y las de sus dos niñas. Pero
lentamente mi preocupación se había convertido en
fascinación. A pesar de mis objeciones mentales, no
podía reprimir el pensamiento de que Dios podría
tener algo en mente para nosotros. Con todo, yo no
había planeado decirle a él tanto.

Hal no se ofendió por mi franqueza. En realidad,
me invitó a comer con él esa noche después de la
sesión de apertura. El resto del día batallé con emociones conflictivas. Yo tenía veintiocho años y estaba
participando en el ministerio. Después de diez años

de independencia, no había renunciado a la esperanza de que algún día apareciera mi príncipe; pero también estaba felizmente resignada a vivir una vida de soltería.

Por años había batallado constantemente con una actitud cínica hacia el matrimonio. Después de todo, yo sentía que ya era una fracasada por haber sido engañada y haber perdido mi virginidad y la oportunidad de tener mi primer hijo para mi esposo. Me imaginaba que si era sincera con el hombre que quisiera casarse conmigo, por seguro mi pasado me descalificaría como esposa.

Después de mudarme a Florida en 1969 para trabajar con un grupo que organizaba conferencias bíblicas, había dejado de buscar un hombre, razonando que realmente ningún hombre me estaba buscando a mí. Durante esos años intermedios había observado que hacer que un matrimonio funcione no era fácil de ninguna manera, aun para los más dedicados. Había escoltado a muchas personas infelizmente casados hacia el cuarto de consejería. A menudo sus problemas parecían abrumadores y las posibilidades de que sus matrimonios sobrevivieran estaban reducidas.

Ahora había conocido a mi príncipe en potencia y él no era de ninguna manera lo que yo había visualizado, ni aun en mis imaginaciones más extravagantes. Tenía ocho años más que yo. No estaba cabalgando a solas, perfilándose contra el atardecer, sino que tenía hijos en la montura consigo. Sin embargo, a pesar de mis esfuerzos por suprimirlos, mis ensueños románticos acerca de Hal continuaban. Era verdad que él no encajaba en la imagen de mi "príncipe azul", pero yo estaba descubriendo que era un individuo encantador y un sujeto principesco. Su humor agudo era de un marcado contraste con mi humor de payasadas; sin embargo, parecía que nos complementábamos el uno al otro.

Nuestra salida a comer fue en un restaurante con iluminación tenue, en que candelabros le daban a cada mesa una atmósfera romántica. Disfrutamos tanto de la tarde que convenimos en pasar más tiempo juntos. En realidad, terminamos dejando de asistir a mucho de la conferencia y pasando la mayor parte de la semana disfrutando de los sitios de interés de Miami y probando sus mejores restaurantes.

Sin embargo, algunas veces nuestra conversación tenía más el sentir de una entrevista de trabajo que de una conversación romántica. En la segunda tarde, me preguntó acerca de mi niñez y le conté que crecí en un barrio pobre, le hablé del alcoholismo de mi padre, de mi conversión en la campaña de Billy Graham y de la mudanza hacia San Francisco.

— ¿Volviste a ver a tu padre otra vez después que te fuiste de Filadelfia? — preguntó Hal.

—No. Supe que vivía en las calles. Le escribí una vez para contarle cómo Cristo había cambiado mi vida y decirle que lo había perdonado. Pero nunca me respondió. Entonces un día, mientras estaba en la universidad, mi mamá llamó para decirme que acababa de regresar del funeral de mi padre. Resulta que había vivido con mamá durante los últimos meses cuando había estado muy enfermo de cirrosis hepática. Pero ella nunca me lo dijo hasta después que él murió.

— ¿A que universidad asististe?

— Biola. Trabajé un poco de tiempo antes de comenzar mis estudios, así que tenía un par de años más que el resto de mi clase. Estuve allí por un año y entonces fui a trabajar como secretaria en una iglesia grande. Creo que esto es lo mejor que me ha sucedido, porque me dio la oportunidad de ganar experiencia en el ministerio. En lugar de estar tecleando en una máquina de escribir durante todo el día, también pasaba tiempo aconsejando personas que venían con problemas.

Mientras comíamos, mencioné que recordaba haberlo conocido unos meses antes en la conferencia en California.

— Estabas desayunando con tus dos hijas.

— Ese fue un tiempo muy difícil. Mi esposa estaba muy enferma. A propósito, debes saber que Wanda Shows fue la segunda madre de mis hijas. Su verdadera madre fue una hermosa mujer llamada Helen Gaffney. Ella murió de un tumor cerebral cuando las niñas tenían tres y seis años. Entonces me casé con Wanda y ella me ayudó a criar a las niñas hasta que murió repentinamente de lupus hace unos meses. Tengo que admitir que todavía mi cabeza está dando vueltas.

*¡Qué extraño!* pensé. *La próxima mujer que se case con este hombre más vale que se haga un examen físico completo.* Cambié de tema preguntándole:

— ¿Tienes alguna foto de tus hijas?

Hal sacó su billetera y me mostró una foto reciente de la encantadora Pam de trece años. Tenía una sonrisa conquistadora, pelo largo y castaño, y una mirada de confianza. La foto de Sandi, de diez años, mostraba una sonrisa ingenua jugando a "adulto" con un sombrero de ala ancha, un vestido que llegaba casi hasta el suelo y tacones altos.

— ¿Dónde se quedan mientras tú estás lejos de la casa? — pregunté.

— Con mis padres. Durante años mi madre y mi padre han pastoreado una iglesia en la zona del puerto de Los Ángeles.

Hal fue directo al decir que quería casarse otra vez, con la esperanza de que fuera por última vez.

— Es obvio que tú eres una muchacha inteligente. Me sorprende que ningún hombre te haya atrapado todavía.

— ¡Yo no estoy enamorada del matrimonio! — afirmé enfáticamente.

Pero Hal no pareció escucharme mientras expresaba las cualidades que deseaba en una esposa.

— Mi próxima esposa tendrá que encajar en mi mundo — dijo —. Tiene que estar dispuesta a mudarse a nuestra vieja casa y encajar en la rutina que hemos establecido. Tiene que amar a nuestras hijas.

Casi como una ocurrencia tardía añadió:

— Yo tendré que amarla a ella también.

Su enumeración me dejó fría, especialmente porque yo realmente no había entregado una solicitud. Pero ya que él mencionó algunos requisitos, pensé que yo mencionaría algunos de los míos.

— Si me caso algún día, quiero casarme con alguien que esté activo en un trabajo cristiano en el que yo pueda usar mis talentos musicales, de conferenciante y de consejería. Yo no soy de las que se sientan en el banco y no participan.

— Muy bien. Estoy de acuerdo — afirmó —. Pienso que debes cultivar y usar los talentos que Dios te ha dado, siempre y cuando no te distraigan de tu primera prioridad con tu esposo y tu familia.

Este tipo no caía en la cuenta. Entonces pensé en algo que suponía que no encajaría en el perfil de la esposa perfecta de Hal. Al día siguiente probé la temperatura del agua diciendo:

— Necesito ser franca contigo. Hay una aspecto de mi vida que no he mencionado — tragué en seco y continué —. Tuve una hija fuera del matrimonio hace unos diez años. Fue una situación fea porque me violó un hombre del trabajo. Di a mi bebé en adopción y nunca la vi, pero sé que está en algún lugar. Ella fue el vehículo que usó Dios para traerme al punto donde no podía más y al comienzo de mi caminar con Cristo.

Hal no pareció alarmarse en lo más mínimo con la noticia.

— Pienso que es excelente que podamos ser tan francos el uno con el otro. No pretendo que esto termine después que yo regrese a Los Ángeles. No soy el tipo del mundo, charlatán y carismático. Soy del tipo matrimonial.

No podía creer que todavía permanecía como una "solicitante" calificada, mucho menos que realmente estaba enamorándome de él. En realidad, la fascinación rápidamente se convirtió en romance. Él era el hombre de calibre más excelente que había conocido. Era reconocido en el ministerio y en el negocio como un administrador estricto; sin embargo, de integridad y sensibilidad. Y yo experimentaba esa sensibilidad en nuestras muchas conversaciones largas.

Eso no quiere decir que no tuvimos nuestros momentos precarios. También le gustaba hacerme bro-

mas. Notó como mi auto, aunque nuevo, estaba despojado de lujos o accesorios. Yo no tenía dinero para
comprar nada más, y no me gustaba que se burlara de
mí por vivir a la altura de mis recursos.

Sin embargo, la mayor parte del tiempo nos llevá-
bamos maravillosamente bien, aunque éramos tan
diferentes. Hal procedía de un mundo totalmente
distinto al mío. Sus dos padres eran ministros de las
Asambleas de Dios. No podía creer que él nunca
había mirado siquiera la *American Bandstand*. Ese
había sido todo mi mundo cuando era adolescente.
No se impresionó en lo absoluto de que yo disfrutara
del baile o de que hubiera sido muy buena jugadora
de cartas. Él, en cambio, no diferenciaba espadas de
palas, ni bastones de oros.

— ¡Tú probablemente te criaste al lado de la mesa
de comunión entre los cultos de la iglesia, mientras
que yo me crié al lado de la mesa de póker entre
turnos! — le decía yo.

Cuando Hal regresó a California, yo todavía resistía
el hecho de que algo maravilloso estaba sucediendo.
Mis amigos decían que esto — respondía —. No me
interesa ser la número tres en una larga lista de
esposas muertas. Somos muy diferentes el uno del
otro y no me puedo imaginar a mí misma como
'madre'. No soy del tipo doméstico. Lo mejor que yo
hago para comer es reservaciones."

Además, no parecía apropiado. Pensé en nuestra
última conversación en el aeropuerto. Hal sabía que
el amor estaba floreciendo y me dijo:

— Creo que hay algo aquí. Pero pasará largo tiempo antes que pueda contar esto con mis niñas. Ellas
necesitarán tiempo para prepararse para otra madre.

Esto no puede hacerse en una tarde.

Había lágrimas en los ojos del hombrón mientras decía esto, y me encontré conteniendo la emoción también.

— Estoy ciento por ciento de acuerdo.

No quería que me mencionara siquiera a estas hermosas niñas porque estaba segura de que ellas se preguntarían qué clase de pícara había hecho presa de su querido papá.

Durante los próximos días nuestras cuentas telefónicas entre Florida y California estuvieron por las nubes. Mientras hablábamos, me di cuenta de que estaba comprometida a amar a este hombre excelente. Entonces, apenas una semana después que él se había ido de Florida, Hal telefoneó y dijo:

— Les hablé a las niñas acerca de ti.

Antes que pudiera responder, las puso en el teléfono para que hablaran conmigo. Se me desplomó el corazón. *Ellas me van a odiar*, pensé. *Seguramente se estarán preguntando quién sería ésta Lee Kinney y por qué estaría ella aprovechándose de su adolorido padre.*

— Hola, ¿eres Lee? — dijo una voz dulce en la otra línea.

Era Pamela Meliss Ezell. Comenzó a hablar como una refinada damita acerca de su escuela y sus actividades. Entonces Sandra Michele vino al teléfono.

— Me llamo Sandi — dijo la voz cálida y amistosa —. ¿Vas a venir a visitarnos?

¿Cómo debía responder? Me preguntaba cómo estas niñas podían ser tan francas conmigo cuando hacía sólo unos meses que habían puesto a su segunda madre en la tumba. Sentí que estaba entrando en otra *zona crepuscular*, con todos mis mecanismos de negación en com-

pleta operación. Pero tuve que regresar a la realidad
de inmediato cuando Hal volvió al teléfono.

— Lee, quiero que te mudes a California.

Yo estaba pasmada.

— Pero . . . no puedo dejar mi trabajo así de repente. ¿Y dónde voy a vivir? Tengo que trabajar . . .

— Puedes encontrar trabajo aquí en Los Ángeles
y puedes vivir con mis padres. Ellos tienen una casa
linda y estarás muy cómoda. Quiero que te conozcan
las niñas. Así que ven para acá, con piano y todo.

A la semana siguiente, la oficina donde trabajaba
me dio una fiesta de despedida. Vendí mi auto, hice
arreglos para embarcar mi piano y otras pertenencias
y volé de vuelta a California, mi memoria dando
vueltas con recuerdos y preguntas. En un sentido
había una señal de progreso, ya que mi viaje ahora era
en avión en lugar de en autobús. Pero ¿qué tendría
deparado la vida para mí? El primer viaje había terminado en desastre.

Entonces, de repente, me di cuenta. ¡Qué ironía que
yo había entregado una hija y ahora podría estar ganan-
do dos! Esto ciertamente demostraba que nadie puede
dar más que Dios. También noté que mi hija natural
era un año menor que la hija más joven de Hal.

Los padres de Hal, Herb y Edna, me recibieron
cariñosamente. Nana y Papa, como afectuosamente
los llamaba, me investigaron completamente para
asegurarse de que llenaba los requisitos para esposa
número tres. En los meses que siguieron antes de
nuestra boda, mientras vivía con los padres de Hal,
aprendí mucho acerca de Hal y su familia. Muy pronto se depositó un brillante anillo de compromiso en
mi mano izquierda. Una tarde Hal me dijo:

— Tú fuiste muy valiente en hablar de tu secreto conmigo. Yo también tengo que decirte algo a ti. No podremos tener hijos propios. Pam y Sandi son las únicas hijas que compartiremos juntos.

Al darme cuenta de que mi primera bebé sería también mi última, de alguna manera esa bebé vino a ser más preciosa.

Tomó tiempo asimilarme dentro de la familia. Cada uno de nosotros luchaba por adaptarse; yo a ser una madrastra, Hal y las niñas a su pesar persistente. Todos necesitábamos tiempo para la sanidad interior de emociones que sabíamos que sólo Dios podía darnos. Aunque tenían muchas aprensiones, ambas niñas fueron valerosas al amarme y aceptarme durante este período difícil de su vida. Había muchas cosas pequeñas en las cuales trabajar, porque esta era una familia que había formado ya sus hábitos, gustos y desagrados, y yo no había figurado en el cuadro. Su rutina estaba establecida; yo tenía que encajar en ella. Hubo discusión acerca de si las niñas me llamarían "mamá" o no. Finalmente ellas decidieron que sí y se sintieron muy cómodas con ello. Me sentí halagada que ellas quisieran hacerlo y pronto parecía algo muy natural.

Hice toda clase de esfuerzo por hacer la transición lo más suave posible. Usando algo de mis talentos musicales y dramáticas escribí un musical infantil para su iglesia y también compuse canciones "hechas en casa" y pequeñas comedias para cumpleaños familiares, Navidad y otras celebraciones.

Nuestro día de bodas fue hermoso, y lo disfrutamos inmensamente. Hal y yo fuimos al altar con nuestras hijas, Pam y Sandi, como cortejo único.

En nuestra noche de bodas yo estaba sumamente

aprensiva, como imagino que la mayoría de las novias deben de estar. ¿Cómo sería tener relaciones sexuales con el hombre que amaba? ¿Qué podía esperar de este hombre tan experimentado y que sabía cómo una esposa debía hacerle el amor a él? Me sentía insuficiente e inexperta y decidí que simplemente seguiría su iniciativa. Esa fue una de mis mejores decisiones.

No tuve en mi mente ninguna escena retrospectiva de la experiencia de mi violación durante nuestra primera noche porque hubo un gran, tierno y amante cuidado de parte de Hal. Él entendió que podría haber sido algo traumático y repulsivo, y fue sensible en conducirme lentamente.

¡No me tomó mucho tiempo darme cuenta de que había trabajado más fuerte para mi boda que para nuestro matrimonio! En la primera mañana de nuestra luna de miel, cuando me imaginaba que debía despertarme en el centro del mundo de Hal, el largo brazo de mi esposo se alargó sobre mí para tomar el teléfono y hablar con las niñas antes que salieran para la escuela. Rápidamente el cuadro de mi Príncipe Azul comenzó a desbaratarse. Me había imaginado que sería como Maria Von Trapp, que se casó con el Capitán y danzó alegremente sobre los cerros con sus niños, como hacían en la película "La novicia rebelde". Ninguno de nosotros podría haber contado el costo de los ajustes que serían necesarios para encajarnos dentro de una familia bien llevada.

Comencé a experimentar un problema mensual con D.C.D.A.: Cambios Desagradables de Ánimo. En las semanas que siguieron, las niñas se dieron cuenta de que mi papel había cambiado. Ya no era más "amiga". Era "mamá", es decir, estaba haciendo lo mejor que podía. Durante mi compromiso era sólo una amiga que venía a dar un consejo, a divertirse, o ir a ver una película. Ahora, repentinamente, esta "amiga" estaba impartiendo órdenes como: "¡Deja el teléfono!" y "Vete al cuarto y haz tu cama." Había muchas discusiones acaloradas. Como muchas madrastras, soporté explosiones tales como: "¡Tú no eres mi madre! ¡No tengo que obedecerte!" Eso hería, pero era fácil perdonar a las niñas porque sabía que su ira nacía de su pesar y desencanto.

Pero también había muchos tiempos de diversión mientras veía a estas niñas crecer y madurar. Eran tan diferentes la una de la otra. Sandi, la entusiasta, fluctuaba entre querer ser una estrella de cine glamorosa o una jugadora de primera clase de softbol. Amante de la diversión y creativa, componía "canciones de juego" en el teclado y las cantaba con entusiasmo. Aunque era compasiva y afectuosa, ella evitaba momentos aburridos con su ingenio y chispa.

Pam era una líder de nacimiento. Aun como adolescente, su discernimiento profundo y filosófico nos asombraba. Sobresalía en la escuela secundaria y particularmente le encantaban sus clases de inglés. Tenía la virtud de expresar sus pensamientos y sentimientos más profundos a través de melodías que componía en su guitarra, a solas en su cuarto.

De haber sabido todos los problemas con anticipación, podríamos habernos acobardado. Sin embargo, esas mismas experiencias fueron los vehículos que Dios usaría para traernos grandes bendiciones. Yo notaba que esto era una continuación del patrón de Dios mostrado en las Escrituras y en mi propia experiencia personal. "Divina ironía", como lo llamaba yo.

# 9

# Fantasmas del pasado

Hal, sus dos hijas y yo nos pusimos de pie cuando la jueza entró en la sala del tribunal y prosiguió hasta su silla. Con un movimiento de cabeza nos reconoció y permitió que nos sentáramos. Nuestro abogado nos aseguró que esto era estrictamente un procedimiento rutinario, pero mi corazón palpitaba al percatarme de la autoridad que tenía esta jueza. Ella era la que determinaría si yo podía legalmente adoptar a Pam y Sandi como mis propias hijas.

No podía evitar pensar en otra pareja muchos años atrás que había atravesado un proceso similar adoptando a mi bebé. Y sonreí al darme cuenta otra vez de cómo los había escogido Dios, ya fuera que lo supieran o no, tanto como la hija de Faraón fue escogida para sacar a Moisés del río Nilo. Ahora yo estaba en la posición inusitada de adoptar dos niñas después de haber puesto una niña para adopción. Una vez había encomendado a Dios la provisión para mi hija natural y ahora Dios me encomendaba a mí el proveer lo que necesitaban estas dos hermosas niñas: una madre amorosa.

Durante mi primer año como madre adoptiva tuvimos nuestros momentos de combates cuerpo a cuerpo. Pero ahora la paz estaba estableciéndose en nuestra relación. Sandi estaba sentada a mi izquierda y alcanzó mi mano, mientras Pam a mi derecha hizo un guiño y susurró:

— ¿No estás contenta de que no eres la madrastra malvada?

La jueza, con poco entusiasmo, me hizo varias preguntas de rutina:

— ¿Por cuánto tiempo ha conocido a estas niñas? ¿Cómo se dirigen a usted?

Las niñas tuvieron que responder preguntas como:

— ¿Se sienten ustedes cómodas con Lee? ¿Cómo es la situación de convivencia? ¿Podrían aceptar a Lee como su madre adoptiva?

Cuando terminó y la jueza había decretado oficialmente que yo era ahora su madre, cada una de mis hijas me dio un cordial abrazo y susurró estas palabras preciosas:

— Te quiero, mamá.

Había muchos momentos en que mi mente retrocedía a pensar acerca de mi hija natural. Mis tempranas luchas como madrastra me hicieron preguntarme si mi hija natural sabría que ella era adoptada; y si sabía, ¿estaría ella actuando hacia sus padres adoptivos como mis niñas ahora? Mientras mis dos hijas adoptadas maduraban y terminaban su segunda enseñanza, yo estaba feliz de verlas llegar a ser emocionalmente sanas y pedía que el Dios que hace todas las cosas nuevas de igual manera borrara de mi hija natural cualquier efecto devastador del pasado.

Ahora que estaba casada y era parte de una familia que socializaba con muchas otras familias, me encontré comprometida con nuevas actividades que reavivaron recuerdos dolorosos. Asistir a las fiestas para embarazadas era particularmente difícil. Además de los juegos tontos con alfileres, pañales y biberones, había siempre la conversación de embarazadas:

— ¿Cuándo te toca?

— Ah, te atrasarás; el primero siempre se demora.

— ¿Te atrasaste tú, Lee?

— No, yo adopté mis niñas — contestaba yo.

— ¿Quieres decir que nunca has sufrido dolores de parto?

— Bueno, por lo menos tienes las tuyas sin marcas en la piel . . .

Me quedaba sentada con un sonrisa socialmente aceptable y escuchaba toda la charla acerca de los dolores de parto y falsos viajes al hospital sintiéndome fuera de lugar, mientras las mujeres hablaban de cosas que supuestamente yo nunca había experimentado. Era cierto que nunca había llegado a ser experta con pañales, calentadores y asientitos, pero sí entendía las emociones de dar a luz y ser madre.

También se provocaban las emociones acerca de mi bebé cuando leía artículos en revistas acerca de adoptados o veía historias en las noticias o entrevistas en la televisión acerca de una feliz reunión entre un hijo y sus padres naturales. Yo no evitaba estos recuerdos dolorosos, sino que silenciosamente les daba la bienvenida y agradecía a Dios nuevamente por la guía que Él había provisto. De cuando en cuando revisaba el proceso de la toma de mis decisiones y siempre llegaba a la misma conclusión: había hecho lo correcto en 1964. Había una sensación de calma de que, porque había dejado mi problema en el escritorio ejecutivo de Dios, sabía que Él había tenido el cuidado apropiado de él. Estaba segura de que estaba correctamente registrado dentro del sistema de memoria de su omnisciente computadora, donde nunca se perdería u olvidaría. Yo tenía que creer que mi fe se había convertido en la realidad que había esperado para mi bebé, aun cuando probablemente nunca vería la evidencia con mis ojos humanos.

Un día leí en la columna de Ann Landers un poema de cumpleaños escrito por una madre adoptiva que recordaba el precio que la madre natural pagó para que su hijo tuviera una vida mejor. Cuando recordaba silenciosamente el cumpleaños de mi hija, releía el sentido poema y oraba por mi niña y por sus padres:

## Un cumpleaños

Es el cumpleaños de mi hijo.
No tengo memoria de su vida creciendo
    dentro de mí y luchando por nacer.
Alguien más estaba allí.
Alguien más en algún lugar está sintiendo
    un vacío por dentro.
Estoy segura de que ella se pregunta
    a quién él se parece.
Si es alto o pequeño.
Se pregunta si él se ríe mucho.
Es el cumpleaños de mi hijo.
Y en medio de este bendito día que se me dio
    tengo una oración.
Oh Dios, que yo nunca olvide a ese alguien
    que sufrió tanto para dar vida a mi hijo.
Ese alguien amó a mi hijo tanto que
    le dio el derecho a vivir.

Que yo nunca olvide ni por un momento
y especialmente ahora, hoy, ofrecer una
oración de gracias por ese alguien, y que
tú, querido Dios, estés siempre allí para
ese alguien para ayudarle a través del
dolor que ella tendrá cuando se detenga
a pensar que hoy es "el cumpleaños
de mi hijo". Amén.

— Ann Landers
News America
Syndicate

Era cierto que pensaba en mi bebé en su cumpleaños y en muchas otras ocasiones, pero no había pena
dolorosa en el recuerdo. Era como si tuviera una
cicatriz en mi mano que me recordara una vieja y
profunda herida. Permanecía la memoria, pero el
dolor había desaparecido. Me daba cuenta de que era
una pieza que faltaba en mi vida. Había muchas
preguntas no contestadas. Con todo, me sentía completa porque Dios me había enseñado cosas que yo
había usado como argamasa para cerrar el hueco en
mi vida. Ahora sabía que éste y otros problemas eran
situaciones "hechas a la medida", diseñadas para
llevarme a una relación más profunda con Dios. Más
bien que resistirlas, yo podía buscar el propósito de
ellas.

Un viejo refrán me ayudaba a menudo a recordar
esta verdad: "Dios arregla un arreglo para arreglarte.
Si tú arreglas el arreglo antes de estar arreglado, Él
tendrá que arreglar *otro* arreglo para arreglarte."

Necesité un nuevo "arreglo" para demostrarme
cuánto había hecho Dios ya en mi vida. Un día mientras jugaba frontón fui golpeada accidentalmente en

la cabeza por la pelota. Durante año y medio experimenté un dolor en el lado derecho superior de mi cara. Visité gran número de especialistas tratando de determinar si era causado por mis dientes, la articulación de la mandíbula, sinusitis, los oídos, o alguna otra cosa. Finalmente me refirieron al centro especializado en dolores del Centro Médico de la Universidad de California.

Yo era tan ingenua en ese tiempo que no me di cuenta de que la primera persona que lo ve a uno es un psiquiatra. La doctora Levy parecía demasiado amistosa y supuse que estaba charlando para llenar tiempo antes de comenzar los exámenes físicos. Me hizo preguntas acerca de mi pasado y, después de casi una hora, comencé a caer en la cuenta. Su trabajo era presionarme para descubrir algo en mi pasado que podía causarme el dolor presente.

Al resumir mi historia, dijo:

— Así que usted es la hija del medio, ¿no es así?

— Si el número tres de cinco es el proverbial niño del medio, entonces sí lo soy — contesté con irritación.

Aunque yo había contestado sus preguntas acerca de mi pasado, realmente no le había dicho ni la mitad de los hechos.

La doctora Levy continuó:

— Entonces usted fue una hija rechazada, maltratada y criada en la pobreza con un padre abusivo. ¿Puede recordar a su padre golpeándola muy fuertemente en el lado derecho de su cara?

— No, realmente no.

— Cuando sufrió el golpe en el accidente de frontón, la persona que golpeó la pelota fue un hombre.

¿Pensó en su padre en ese momento?

— ¡Por cierto que no! Yo estaba casi inconsciente en el piso.

Ella continuó presionándome por más de una hora en un esfuerzo por inducir un recuerdo o una reacción emocional que señalara una amargura no resuelta que pudiera estar causando mi dolor. Después de revisar mi glosario de traumas emocionales con ella, volvió a insistir para terminar de una vez:

— Sea sincera conmigo, Lee. ¿No tiene usted un temor secreto de que haya un tumor canceroso en el lado derecho de su cara y de que usted muera, siendo la tercera esposa que le fallará a su esposo e hijas?

No estoy segura si le puedo llamar indignación justificada, pero me levanté de mi asiento y decidí decirle la verdad de mi historia directamente de una vez.

— Escuche, doctora Levy, sé lo que se propone. Yo he aprendido lo que la amargura y la ira y el no perdonar pueden hacer a una persona. Yo he pasado por un proceso de limpieza y perdón que ha hecho la diferencia. ¡Por causa de mi relación con Jesucristo, el Mesías, sinceramente, yo no tengo ningún efecto permanente de las injusticias de mi pasado!

La doctora Levy escribió algunas notas en su archivo, probablemente algo así como: "Es también una fanática de Jesús . . ." Después de dos visitas más, aparentemente se convenció de que mi dolor no tenía origen psicológico. Hasta redactó un informe escrito confirmando que mis facultades mentales eran normales. Los miembros del equipo quirúrgico entonces hicieron una operación exploratoria y encontraron la causa física de mi dolor. Había estado enconándose una infección crónica, agravada por una perforación dental en la cavidad nasal y una infección en los canales dentales inflamados. Una operación corrigió estos problemas y no he sufrido de ese dolor desde entonces. Pero si no hubiera sido una persona emocionalmente sana mediante el poder del Señor, posiblemente estaría aún sentada en la oficina de esa psiquiatra, pagándole cantidades exorbitantes y ¡todavía sufriendo del dolor en el lado derecho de mi cara!

Fueron muchas experiencias como ésta las que me motivaron a comenzar a relatar las lecciones de mi vida con otras personas. Yo sabía de muchas mujeres que iban a sus psicoanalistas en busca de respuestas. Descubrían experiencias pasadas que podían explicar el dolor que sentían. Pero entender el pasado no quita el dolor. Muchas de ellas no podían enfrentarse con su culpabilidad, su amargura profundamente arraigada y su frustración. Quizás algunas de las respuestas que yo había descubierto al encarar mi dolor podrían ayudar.

Mientras tenía oportunidades de hablar a varios grupos de mujeres y dar estudios bíblicos, un mensaje comenzó a cristalizar. En él yo explicaba mi debilidad y aseguraba a mi público que yo no lo tenía todo bajo control. "Por lo menos, si lo tenía, me he olvidado de dónde lo puse."

A través de mi experiencia personal, relataba que por muchos años había sufrido de pensamientos ensoñadores. En mi viaje en ómnibus hacia el oeste había visualizado una vida libre de dolor en la tierra prometida. Se había aplastado cruelmente ese sueño. Me había imaginado que me casaría y cada mañana despertaría con un aliento fresco y mi príncipe me serviría huevos a la Benedicto. En vez de eso, la realidad para mí había sido mudarme a un dormitorio donde otra esposa había dormido sobre el colchón, rodeada por papel de pared aterciopelado y chillón del gusto de aún otra esposa.

Recordaba el día en que habíamos ordenado un nuevo colchón. Cuando los empleados de la mueblería levantaron el viejo colchón y lo trasladaron hacia la puerta, noté que un sobre con una tarjeta había estado escondido encima del muelle. Ansiosamente abrí el sobre, halagada porque Hal muy rara vez hacía para mí cosas inesperadas como éstas. Dentro del sobre había una tarjeta romántica acerca del amor y cómo "los dos fuimos hechos el uno para el otro". La firma decía: "Con amor, Wanda."

En todas partes los fantasmas del pasado estaban latentes. Yo no podía alterar el pasado, pero podía buscar fuerza y sabiduría para tratar con el pasado, el presente y el futuro. Temprano en mi matrimonio descansaba en el versículo: "Este es el día que hizo Jehová; nos gozaremos y alegraremos en él" (Salmo 118:24).

Esto era muy diferente de la manera de pensar en los cuentos de hadas que se aferra a la frase "y vivieron felices y comieron perdices". Me estaba liberando de mis ideas a lo Cenicienta y aprendiendo a contentarme en cualquier estado en que me encontrara. Sí, había piezas que faltaban en mi vida, pero Dios había sustituido esos huecos vacíos con su paz.

Cada mujer que conocía tenía piezas que faltaban en su vida, y yo parecía tener la clase de rostro que invita a la gente a confesarse. Después de haber hablado a un grupo de mujeres en el sur de California, una mujer vino a hablar conmigo acerca de sus piezas perdidas: preguntas no contestadas acerca de un divorcio, un hijo rebelde y más recientemente, un accidente de automóvil.

— No puedo soportar más — decía llorando — ¿Qué está tratando Dios de hacerme? A veces pienso que estoy siendo castigada por mis pecados pasados.

Se detuvo para secar sus lágrimas y soplarse la nariz.

— Sabe ... hace muchos años yo tuve un niño ... y lo entregué en adopción.

Se me cayó el alma a los pies cuando escuché esas palabras. ¿Cómo era posible que esta mujer imaginara que la "consejera" sentada enfrente de ella había sufrido esa misma experiencia?

— Por favor, deje de castigarse a sí misma — le rogué —. Jesucristo murió y pagó el precio de sus pecados para que usted no tuviera que pagarlo por el resto de su vida. Dios desea tener su atención, pero usted no está en libertad condicional con Dios. Él no va tras de usted persiguiéndola para sorprenderla en falta a cada momento.

Y entonces, por la primera de muchas otras veces en consejería individual, relaté la historia del nacimiento de mi hija. Pude notar un brillo en sus ojos mientras escuchaba conmovida, y me di cuenta por primera vez de que eran precisamente las experiencias de mi pasado las que me calificaban para dirigirme a los temores de esta mujer. La verdad que yo había aprendido la podía capacitar a ella para ser libre y tener esperanza para el futuro.

Comencé a escribir muchos de estos principios

que ayudan a mejorar las relaciones con Dios, con nosotros mismos y otras personas, y terminé publicándolos en un libro llamado *El síndrome de Cenicienta*. En él revelaba brevemente la experiencia de mi violación sexual, pero como nunca había habido una resolución de esa experiencia, me eximí de relatar mi embarazo y la subsecuente adopción de mi bebé. Quizás temía contarlo. Podría hacerme vulnerable de más dolor. Y aunque Dios había llenado el vacío en mi vida con su paz, yo sabía que en algún lugar en este país había una joven mujer, mi hija, que se acercaba a los veintiún años. ¿Cómo podía contar la historia sin saber lo que había sido de ella?

# 10

## Se rompe el silencio

Hal estaba en el este otra vez en uno de sus frecuentes viajes. Por el último par de años había servido como designado político en la administración del Presidente Reagan, con el título de Comisionado de Inmigración para la Región Occidental de los Estados Unidos. ¡Tenía las manos llenas! Pero lo consideraba como el desafío de Dios para su vida. Yo estaba contenta que éste sería su último viaje del año, aunque quedaban sólo tres semanas.

Había pasado el día y la mayor parte de la noche haciendo algunas compras de Navidad y me había detenido en el camino a casa para comprar algunos alimentos. Al entrar en la casa y colocar las bolsas de víveres, noté que la luz roja del contestador estaba intermitente. Cuando puse los mensajes, escuché un sonido familiar del pasado. Era la dulce, temblorosa voz de Mamá Croft, que ahora tenía ochenta años de edad.

—Bueno, querida, ésta es Mamá Croft y no me gusta hablar con estas tontas máquinas. Pero tengo un mensaje muy importante para ti y creo que debes llamarme de inmediato.

*Algo le ha pasado a Papá Croft,* pensé mientras

marcaba el número rápidamente.

—Hola, mamá, es Lee —dije, tratando de no sonar muy preocupada.

—Oh querida, cuánto me alegro de que llames, pues, Papá y yo hemos estado orando. No sabíamos qué hacer. Tenemos aquí esta carta y yo no sabía si debía llamarte o no . . .

La interrumpí para preguntar:

—¿De qué está hablando?

—¡La carta! ¡Tengo una carta de tu hija!

Se me doblaron las rodillas y sentí que mi mente estaba siendo envuelta por una niebla que avanzaba para comenzar otro episodio de suspenso como en el programa de televisión *Zona Crepuscular*. Mi lengua normalmente habladora quedó silenciosa.

—Hemos tenido esta carta por dos semanas y estaba tratando de decidir si te llamaba —continuó Mamá—. No sabía si tu esposo sabe acerca de tu pasado y no quería causarte ningún problema. Pero Papá y yo hemos estado orando y decidimos que debíamos llamarte y decirte, y tú puedes decidir qué hacer acerca de esto.

—Yo . . . yo no sé qué decir. Han pasado veinte años. ¿Escribió ella como caída de las nubes?

—Yo recibí una llamada telefónica hace varias semanas de una joven que me preguntó: '¿Conoce usted a alguien con el nombre de Lee Kinney?' Desde luego que yo quería saber qué quería ella antes de darle ninguna información, y ella me dijo: 'Yo la estoy buscando. Ella es mi madre de nacimiento.' Yo me sorprendí tanto que dije: 'No, no sé quien es' y colgué. Bien, a la semana siguiente ella llamó otra vez y, antes que yo pudiera decir nada, ella dijo:

'Discúlpeme, me llamo Julie. Llamo otra vez porque creo que usted sabe cómo localizar a mi madre de nacimiento, Lee Kinney.' Yo le dije: 'Mire, no me voy a meter en esto. No puedo decirle una cosa ni otra.'

— Se llama Julie — dije distraída.

— Ella fue muy persistente. Me suplicó tratando de convencerme. 'Si yo simplemente le envío una carta, ¿podría usted hacérsela llegar a ella? La he estado buscando y creo que usted sabe cómo ponerse en contacto con ella. Pero dejaré eso en sus manos.' Ella dijo que yo podía enviarte la carta, pero que, si no lo hacía, ella no me molestaría más. Yo no sabía qué decirle, así que dije: 'No te puedo prometer nada, querida.' Ella dijo que estaba bien, que sólo quería enviar la carta en caso de que yo supiera dónde localizarte, así que mandó la carta y pensé que debía hacértelo saber.

— Espérese, mamá, necesito sentarme.

Halé una silla y me desplomé en ella.

— Espero que hiciera lo correcto — dijo mamá.

— Sí, hizo lo correcto. ¿Qué es lo que dice la carta?

— ¿Quieres que te la lea?

— Sí, por favor. Si no le es molestia.

Y así Mamá comenzó a leer la carta, fechada el 23 de noviembre de 1984.

Estimados señores Croft:

Estoy escribiéndoles en respuesta a la llamada telefónica que tuvimos la semana pasada. Espero que tomarán tiempo para leer esta carta y considerarla cuidadosamente.

Durante más de tres años he estado buscando a mis padres naturales. Hace un par de semanas recibí algunos registros médicos que tenían su número telefónico, así que decidí llamar. No esperaba encontrar a nadie en ese número, así que realmente no estaba preparada para explicar muy bien la situación. Espero que esta carta llene los espacios en blanco para ustedes.

Mi primera preocupación es no causar ningún problema ni interrumpir la vida de nadie. Estoy segura de que si no manejo la situación apropiadamente pudiera haber muchas personas heridas y eso es lo último que yo quisiera hacer. Realmente deseo ponerme en contacto con mi madre, pero pienso que mis sentimientos son lo que menos importan.

Cuando tenía quince años, mis padres adoptivos decidieron mudarse de California a Michigan. En el verano de 1981 me casé y en mayo de este año tuvimos nuestra primera hija, y se llama Casey. Así que mi madre es también abuela.

Yo esperaba que ustedes quizás pudieran darme más información acerca de mi madre. Tengo muchas preguntas que espero que puedan contestar. Me doy cuenta de que ha pasado mucho tiempo, pero cualquier cosa que puedan decirme será apreciada.

Entiendo que mi madre tenía mucho talento. ¿Saben si ella ha hecho una carrera de esos talentos? Si tienen algunas fotos de Lee, me gustaría tener una, si es posible. Apreciaría cualquier cosa que me digan acerca de mi madre, o cualquier cosa que piensen que yo debo saber.

Yo siempre sabía que era adoptada y mis padres adoptivos me apoyan en mi búsqueda. El amor es la única razón por la que estoy buscando. A diferencia de otros adoptados, nunca he tenido ningún sentimiento de rencor contra mis padres naturales. Sé que si no me hubiera criado en un hogar cristiano, mis sentimientos hacia mis padres de nacimiento serían diferentes.

Siento que el Señor me está guiando en mi búsqueda, y que Él también me ayudará a tomar las decisiones correctas. A menos que ustedes me respondan, no sabrán más de mí.

Dios los bendiga.

Julie

Esto era más de lo que podía creer. El simple pensamiento de que mi "bebé" pudiera haber escrito esta carta estaba más allá de la comprensión. ¿Por qué no había crecido ella en mi imaginación? En mi mente era todavía una niña, no una mujer hecha y derecha, casada y con su propia hija. No podía imaginármela como una persona que podía expresarse tan bien en el papel. ¡Y su bebé me hacía abuela!

La voz de Mamá Croft me trajo de vuelta a la realidad.

— Lo siento, cariño — dijo rápidamente —. Espero que esto no te cause un problema. Papá y yo no estábamos seguros si decirte, pero pensamos que tú debías decidir si llamarla o no.

Entonces mi querida vieja Mamá, como sólo ella podía hacerlo, no pudo resistir darme su opinión.

— Yo seguramente la llamaría, mi vida, porque

dice que cree que el Señor la está guiando a encontrarte. ¿No es eso maravilloso?

No pude evitar reírme de su entusiasmo.

— Sí, mamá, es maravilloso. ¡Algo completamente fuera de este mundo!

Ella tenía la dirección y el número telefónico de Julie, y cuidadosamente los anoté y se los repetí. Entonces convine en informarle lo que sucediera, y colgamos. Por largo tiempo miré fijamente la chimenea como si fuera un agujero negro en el espacio, deseando que me tragara. Una sensación de estremecimiento se difundió por todo mi cuerpo, añadiéndose a mi sentimiento de estar en otro mundo.

Sí. Esto era algo fuera de este mundo. ¿Habría tenido mi hija, como yo, una intervención divina en su vida? Yo sabía en mi corazón que, por causa de mi embarazo, comencé a caminar en una diaria y viva relación con Jesucristo. Ahora me preguntaba por qué ella había dicho: "Siento que el Señor me está guiando." ¿Qué significaba todo esto?

Comencé a llorar, emocionada de gozo y sin embargo paralizada por el temor al mismo tiempo. Emociones conflictivas comenzaron a correr a través de mí. *Esto es fantástico . . . pero por otro lado, podría producir algunos verdaderos problemas . . . pero por otro lado, qué bendición . . .* Estaba eufórica hasta el punto de la risa, pero a la vez era cautelosa. ¿Cuál sería el final de todo esto? ¿Era esto un sueño o una pesadilla?

*¿Por qué todas las cosas se vuelven locas cuando mi esposo está lejos?* pensé. Esta era una noche en que no quería estar sola. Pero no tenía alternativa. Él no regresaría hasta el día siguiente por la tarde.

Así que tenía que volverme a Dios, como había

hecho antes tantas veces. En mi mente yo visualizaba la escena de una petición que se había puesto en el escritorio ejecutivo de Dios el Padre hacía tres años y medio. Decía: "Quiero encontrar a mi madre de nacimiento", y firmaba "Julie". Imaginaba ésta y muchas peticiones subsecuentes que se habían estampado una y otra vez con un gran sello de goma que decía "No". No era el momento oportuno. Entonces un día, sólo unas semanas atrás, Dios recibió la petición otra vez y esta vez estampó un gran "Sí" en verde, y las piezas perdidas comenzaron a aparecer y tener sentido.

Así que yo necesitaba aceptar la idea de que el contacto de mi hija conmigo era todo en el tiempo del Señor y que tenía un propósito. Sin embargo, estaba inquieta. Había toda clase de preocupaciones acerca del efecto que esta interrupción tendría en mi vida y en la vida de mi familia. Pero nuestro Padre celestial sabía lo que era mejor para mí, para Julie y para todos los demás interesados. No nos permitiría enfrentar nada que no pudiéramos manejar. Así que permitió que Julie me encontrara.

*Tengo que decírselo a Hal*, pensé. *Esto no puede esperar hasta mañana.* Marqué el número del hotel de mi esposo en el este, esperando que estuviera en el cuarto. Resultó que lo desperté del sueño.

— Despiértate lo suficiente para que pueda decirte algo importante — dije —. ¡Escucha! He recibido una carta de la bebé que tuve fuera del matrimonio hace más de veinte años — dije sin dilación.

— ¡Dilo otra vez!

Yo podía ver que tenía toda la atención de Hal. Después que le dije brevemente acerca de la llamada telefónica de Mamá Croft, su primera reacción fue similar a la mía.

— No lo creo.

— Es verdad. Ella vive en Michigan. Tengo su nombre, número de teléfono y dirección. Estoy asustada. Estoy emocionada. Y quisiera que estuvieras aquí.

Entonces añadí orgullosamente:

— ¡Y soy abuela! ¿Qué dices a eso, abuelo?

— ¡Espérate un momento! — replicó, no queriendo estar de acuerdo con esa idea demasiado rápido —. Pensemos este asunto bien.

Entonces sensiblemente añadió:

— ¿Qué quisieras hacer?

— ¡Desde luego que quiero llamarla! Pero no puedo imaginar a dónde nos va a llevar eso. ¿Qué piensas tú?

Yo esperaba que él tomara la iniciativa y compartiera algo de la responsabilidad.

Hal tomó la iniciativa, pero su respuesta me mostró quién lo guió a él.

— El Señor dijo 'Sí', así que pienso que debes decir 'sí' y llamarla por la mañana. Cualquier cosa que decidas, te respaldaré ciento por ciento — me aseguró.

Después de concluir la conversación, me levanté para salir del estudio y miré la placa de pergamino sobre la pared. El mensaje nunca había sido tan pertinente como ahora:

Si amas algo,
ponlo en libertad.
Si regresa,
es tuyo.
Si no regresa,
nunca lo fue.

Yo había amado a una bebé y la había puesto en "libertad". Ahora esta bebé era una mujer adulta que regresaba a mí con otra bebé en sus brazos. Y mañana yo hablaría con ella.

# 11

## Preguntas, preguntas

Esa noche hubo muy poco sueño y ningún descanso para mí. La llamada telefónica de Mamá Croft había puesto mi mente a alta velocidad. Los pensamientos corrían de un lado a otro sin parar para consideración o respuestas. *¿Cómo es ella? ¿Cuál es su* verdadero *motivo para buscarme? ¿Es ésta la manera del Señor de hacer real para mí el principio de sembrar y segar, y ahora vería lo que había sembrado al dar a mi bebé en adopción? ¿Por qué se casó a los diecisiete años? ¿Estaría infelizmente casada? ¿Sería su matrimonio un escape? ¿Habría sentido ella rechazo, pérdida y depresión porque no había sido deseada cuando nació? ¿Era ésta su manera de comenzar una nueva vida en el oeste, en "el pueblo de oropel"?*

Mi tendencia natural era dejar que mi imaginación proyectara posibles escenarios futuros. Cuando mi esposo llegaba tarde a casa del trabajo, comenzaba a preguntarme si habría tenido un accidente en la carretera. Cuando sonaba el teléfono, estaba segura de que eran los enfermeros. Cuando se hacía más tarde, me imaginaba corriendo a algún hospital remoto. Hasta me veía vestida de negro en el funeral . . . y lucía elegante.

Esa noche en mi cama, mi extravagante imaginación proyectó toda clase de posibles sucesos. Quizás Julie estaba deprimida a causa de una vida insoportable y pensaba que un encuentro con su madre "real" le daría nuevo sentido a su vida. ¿Qué pasaría si ella deseaba venir para acá a vivir conmigo? Quizás esta bebé ahora crecida quería entregarme su propia bebé para que la criara yo. A los cuarenta años de edad, ¿qué haría yo con un bebé? Y entonces, ¿cómo reaccionarían mis dos hijas a este encuentro sorpresivo?

¿Qué diría cuando Julie preguntara acerca de su padre natural? ¿Cómo podía decirle que ella era el resultado de una violación, un accidente que nunca debía haber ocurrido? ¿No añadiría eso aún más a sus sentimientos de rechazo y remordimiento? ¡*No*! me dije a mí misma. ¡*Yo nunca debo decirle que ella fue concebida en una violación!*

Entonces pensé en los padres adoptivos de Julie. Ellos no eran los padres naturales de Julie, como yo no era la madre natural de las hijas de Hal. Pero yo me consideraba la madre de las niñas de Hal, habiendo vivido con ellas e invertido mi vida en ellas durante años. De igual manera yo tenía que considerar a los padres de Julie, quienes la habían criado desde su nacimiento, como su verdadero padre y madre.

¿Dónde encajaba yo entonces? ¿No sería una gran interrupción para su vida y una amenaza para sus padres, quienes se habían dado a sí mismos por ella durante más de veinte años? Aunque yo no era la madre natural de mis dos hijas, pelearía con uñas y dientes en contra de cualquier mujer que tocara a mi puerta para anunciar que ella era la "madre verdadera". ¿Cómo sería posible resolver esto?

Pensé en mi derecho a la privacidad. ¿Podía alguien desconocido para mí indagar los profundos y oscuros secretos de mi pasado sin mi permiso? ¿No había leyes que me protegían de eso? Pero entonces pensé: *Sí, tienes derechos como madre de nacimiento, Lee. Pero no excluyen los derechos del hijo. Esa bebé no participó en ningún acuerdo de confidencialidad. Nadie tenía el derecho de prometer que ella no comenzaría una búsqueda más tarde en la vida. Se establecieron las leyes de confidencialidad para proteger esa transacción de extraños curiosos, no de las partes inmediatas implicadas.*

Por la mañana, cuando fue hora de levantarme, ya se había agotado mi porción de energía para el día. Con gran esfuerzo me levanté para sentarme en el borde de la cama. Por varios minutos miré fijamente al número telefónico escrito en negro en el cuaderno amarillo que estaba sobre mi mesa de noche. ¿Qué representaba ese número realmente? Si llamaba, ¿qué clase de interrupción traería a mi vida? ¿O era ésta una maravillosa interferencia divina?

Me di cuenta de que no había cometido el error de poner mi vida en suspenso esperando este momento. Aunque había vivido veinte años con esta pieza perdida, me sentía completa. No era un simple sistema de negación, donde sumergía las heridas de mi pasado. Había resuelto mi problema verdaderamente, y la pieza que faltaba de mi pasado la había llenado la paz de Dios. Entonces, ¿qué significaba ahora que Él estaba revelando esa pieza que faltaba?

El peso de todas estas preguntas me motivó a hablar con Dios en voz alta. "Bueno, Señor, tú sabes todas las preguntas que cruzan por mi mente. Y ya sabes todas las respuestas. Realmente deseo conocer a Julie, ¿pero adónde llevará todo esto? Yo no puedo contar el costo, ni Hal tampoco. ¿Qué significará para Pam y Sandi? Yo no sé las respuestas, pero creo que tú has dicho: 'Sí, ahora es el momento.' Así que, estoy de acuerdo contigo y haré la llamada."

Aún no podía dejar de cavilar las preguntas mientras mi dedo comenzaba a marcar el número telefónico en Michigan. Cuando el teléfono comenzó a dar timbre, mi palpitante corazón aumentó su ritmo.

Una dulce voz en el otro lado contestó:

— ¡Hola!.

Tragué en seco y pregunté:

— ¿Es Julie?

Ella contestó con un refrenado:

— Sí.

— Bueno, espero que estés sentada, porque la que llama es Lee.

Hubo un grito sofocado en su voz mientras decía:

— ¡Yo sabía que llamarías algún día! Estoy contenta de que *tú* me llamaste *a mí* porque yo no sabría qué decir.

— ¡Ahora sabes cómo me siento yo! — admití, algo aliviada.

En el fondo escuché un bebé llorar. ¿Podía ser mi nieta? Julie se excusó para aquietar a la bebé. Cuando regresó, preguntó animadamente:

— Bueno, ¿qué hacemos ahora?

— No sé.

Vacilante dije:

— ¿Cómo pudiste encontrarme?

Ella alcanzó una carpeta que estaba cerca del teléfono y comenzó a describir los papeles que había reunido como resultado de su búsqueda.

— Mi madre me dio los papeles de adopción una semana después que me casé. Durante mis tres años y medio de búsqueda, escribí muchas cartas y finalmente recibí ayuda de ALMA. ¿Has oído hablar alguna vez acerca de ellos?

— No, no he oído.

— Ellos son la Asociación del Movimiento de Libertad de los Adoptados. Ayudan a los adoptados a localizar a sus padres de nacimiento. Entonces llamé al hospital donde nací y a la agencia de adopción del Condado de Los Ángeles. Todo cayó en su lugar, sin embargo, cuando hablé con la señora Croft.

— ¿Cómo supiste de ella? — inquirí.

— En uno de los papeles había un viejo número telefónico donde te podían localizar. Como hacía veinte años, imaginé que ya no estabas allí; pero pensé que había una posibilidad de que alguien pudiera saber quién eras y dónde podía encontrarte. Me imagino que la señora Croft te dio el mensaje.

Me sentí de inmediato aliviada y emocionada de que Julie no parecía una persona infeliz, angustiada ni melancólica. Más bien su voz revelaba una joven sensible con una personalidad encantadora. Por el tono suave de su voz, parecía que ésta no era una búsqueda desesperada. Más bien, ella estaba tocando a mi puerta — apropiada y ligeramente — para ver si yo la abría.

Al principio de nuestra conversación le dije tímidamente a Julie que había notado algunas de las fechas en su carta y calculado que ella debía de haberse casado a la edad de diecisiete años. Le expresé mis secretos temores de que ella hubiera "tenido que casarse".

Ella dulcemente replicó:

— Nosotros sabíamos que era — no sé si puedes entenderlo o no —, pero nosotros sabíamos que era la voluntad de Dios que nos casáramos.

Ahogué un grito. ¿Había escuchado bien? Ella dijo que era *la voluntad de Dios*.

Ella continuó:

— Hemos estado casados por tres años y tenemos una hija de nueve meses. ¿La escuchas llorando en el fondo? Esa es tu nieta, Casey.

Era un curioso sentimiento escuchar las voces de tres generaciones todas encontrándose por primera vez en esta línea telefónica.

Julie comenzó entonces a leerme de los papeles que ella había reunido. Me preguntó acerca de mi madre y cuatro hermanas, supliéndome los nombres actuales y direcciones y otra información. Me asombré al darme cuenta de que había tanta información personal en computadora. Julie admitió que el material que había recibido era mucho más de lo que había pedido o necesitado.

Entonces vino la pregunta inevitable:

— ¿Qué puedes decirme acerca de mi padre natural?

— ¿Qué información tienes? — contesté de mala gana, determinada a mantenerme inconmovible en mi decisión de no revelar mi secreto.

— Algunos documentos indicaban que cuando nací mi padre tenía treinta y ocho años. Otros papeles dicen cuarenta y ocho, lo cual lo haría veinte o treinta años mayor que tú. ¿Cuál era su edad?

— No sé — repliqué, temiendo lo que venía.

— ¿Conociste alguna vez a su madre y a su padre, que vivían en Kansas City?

— No — reconocí, tratando de sonar indiferente.

— ¿Conociste alguna vez alguno de sus otros cuatro hijos? — persistió ella.

Yo estaba escuchando todos estos datos por primera vez. Tragué en seco y dije:

— No, no los conocí.

— ¿Lo conociste cuando era chofer de camión o piloto? ¿Lo conociste cuando estaba en la Marina o en el negocio de construcción?

— No — repetí.

Afortunadamente, las preguntas personales acerca de su padre natural disminuyeron. Yo no podía decir qué conjeturas se haría ella de mi falta de información. Rápidamente cambié el tema para preguntarle acerca de su bebé.

Un momento después ella preguntó repentinamente:

— ¿Cómo te sientes si yo decido continuar la búsqueda de mi padre natural?

— Eso depende totalmente de ti. Lo que quieras hacer, debes seguir y sentirte libre para hacerlo.

Esto estaba empezando a herir en lo vivo. Las preguntas acerca de su padre me agotaron la energía y la emoción. Estaba sorprendida de que la tensión de veintiún años atrás podía todavía afectarme tanto.

Afortunadamente la conversación de Julie tomó un rumbo diferente, un rumbo que comenzó a establecer un interés común entre nosotras aparte de lo biológico. Comenzó a contarme acerca de su amor por la música, algo que no tenía nadie más en su familia. Me habló de los tres diferentes grupos cantantes a los que se había unido a través de su iglesia. Ansiosamente mi mente se lanzó en otro vuelo de imaginación y tuve que advertirme a mí misma: *No saltes a conclusiones. Ella podría estar en alguna secta.*

—Julie, ¿puedes decirme en qué clase de iglesia estás?

—No sé si entenderás esto, pero mi pastor es ordenado con la denominación cuadrangular. Somos lo que se llamaría una iglesia 'carismática'. ¿Has oído de eso antes?

Su respuesta me dejó anonadada. Hal y yo habíamos estado activos en iglesias carismáticas por muchos años. Su padre había sido ordenado en las Asambleas de Dios. Mi mente dejó nuestra conversación por un momento mientras pensaba retrospectivamente en mi petición en sus papeles de adopción. Había pedido que ella fuera criada en un hogar que creyera en la Biblia. ("¡Gracias, Señor!") Se habían contestado mi deseo y oración más profundos, a pesar de todas las desventajas, incluso "la Coronela del Caso".

Cuando mi mente retornó a Julie, la escuché diciendo.

—. . . la razón por la que he seguido en mi búsqueda por ti es que yo tenía que saber si habías entregado tu vida a Cristo.

Nada hubiera podido hacerme un impacto más fuerte. ¡Me estaba evangelizando! La que había dirigido equipos de evangelización, que había intentado ser un testigo de Cristo en la calle, en la oficina y en el radio y la televisión. Por una vez mi incesante labia quedó sin palabras. Ninguna otra buena noticia podía haber igualado lo que esa pregunta reveló acerca de Julie.

Debo de haber musitado algo, porque Julie continuó diciéndome que se había criado en un hogar cristiano. Su padre, Harold, tenía dos hijos antes que muriera su primera esposa. Entonces se casó con Eileen y decidieron agrandar su círculo familiar adoptando una bebé.

Mientras Julie continuaba relatando los detalles de su vida, supe que se había criado a unos sesenta y cinco kilómetros de donde yo había vivido y trabajado. Al comenzar ella a identificar el pueblo y el vecindario, reconocí que ésta era la misma zona donde habían vivido mi hermana Zoe y su familia después que se mudaron de San Francisco. Es posible que se hayan visto muchas veces. Quizás, cuando yo conducía a través del vecindario rumbo a la casa de mi hermana, hubiera visto a Julie en un patio o en una calle con amigos.

Había una ansiedad en nosotras de concertar un encuentro cara a cara. Sin embargo, ambas estábamos dudosas de forzarlo de inmediato. Yo estaba particularmente preocupada por los padres de Julie. Les debía tanto; ¿cómo podía pensar en herirlos? Pero, ¿cómo podía negar los deseos de mi propia hija?

— ¿Qué piensan tus padres de tu búsqueda por mí? — pregunté.

— Al principio mamá no quería que yo buscara a alguien que no me había querido. Pero ahora que soy mayor y estoy casada y tengo una bebé, le parece bien.

— ¿Te importa si te pregunto cómo supiste que eras adoptada?

— Yo era muy pequeña. Estaba jugando con una amiguita y ella me dijo que mi madre no era mi 'verdadera mamá'. Yo fui corriendo para la casa y le pregunté a mi mamá: '¿Es cierto que tú no eres mi verdadera mamá?' Y entonces ella me explicó que era adoptada.

— ¿Sabes? Recientemente me di cuenta de algo. Desde que puedo recordar, mamá compraba mis zapatos en las tiendas *Kinney Shoes*. Quizás ella pensaba que esto te ayudaría en algo, ya que tu apellido de soltera era Kinney.

Saltando otra vez a otro tema, Julie me lanzó esta pregunta:

— ¿Qué haces con tu tiempo ahora que tus dos hijas están criadas?

Esta era una pregunta para la cual estaba lista. En anticipación, estaba casi riendo ahogadamente cuando respondí:

— Yo soy una conferenciante inspiradora que habla de la bondad de Dios con grupos a través de la nación en retiros y conferencias. Tengo un ministerio nacional de radio y acabo de escribir un libro llamado *El síndrome de Cenicienta* que espero que Dios use para llevar a muchas personas a la fe en Cristo.

Entre jadeos y risas, Julie expresó:

— ¡Qué grande es Dios y la manera en que obra!

— Julie, hace un rato querías conducirme a Cristo. Me quedé muda porque . . . en cierta manera, ¡puedo decir que *fuiste tú* quien me guió a Cristo hace veinte años!

Mientras Julie escuchaba a más de tres mil kilómetros de distancia, con lágrimas le conté mi historia, concluyendo:

— Yo te di el *nacimiento natural*. ¡Pero Dios te usó para despertar mi *vida espiritual*!

Habíamos hablado por hora y media, y era tiempo

de ir concluyendo la conversación. Prometimos mantenernos en contacto y considerar el próximo paso en esta relación recién encontrada. Antes de decir adiós, pedí:

— Julie, por favor, ¿les asegurarás a tu madre y a tu padre que de ninguna manera intento hacer una gran intervención en su vida?

— Sí, lo haré — me aseguró.

Estaba muy emocionada cuando colgamos, pero por lo menos se estaba controlando un poco la emoción. En menos de veinticuatro horas había adquirido una tercera hija crecida, un yerno y una nieta. ¡Eso es lo que llamo un trabajo rápido!

Me sentía satisfecha. Completa. Se había colocado en su lugar una pieza original del rompecabezas. No podía esperar para decírselo a alguien. Mientras estaba en el teléfono, Dee, mi secretaria, había venido a la oficina que tengo en casa.

— Has estado en el teléfono por bastante tiempo — dijo ella.

— ¡Siéntate! ¡Tengo tremenda noticia para ti!

Mientras le contaba mi historia desde el principio, comenzó a llorar. Yo no podía creer el impacto que tuvo en ella. Cuando terminé, dijo:

— Eso es increíble. Espero que lo cuentes cuando hables ante grupos.

— No estoy lista para hacer eso todavía — dije.

— ¡Pero piensa en la esperanza que pueda darle a tantas personas! Muestra cómo, cuando alguien confía en Dios y entrega su problema a Él, Él es fiel para obrar — replicó Dee con entusiasmo.

— Sí, pero necesito tiempo para poner todo en su lugar. Ha sucedido tan repentinamente. Julie y yo ni siquiera nos hemos conocido todavía.

Mientras continuaba reflexionando en la increíble experiencia de haber hablado con mi hija natural, de repente me di cuenta: *¡Pam! ¡Sandi! ¿Qué van ellas a pensar de todo esto?* Nunca había hablado de esta parte de mi vida con ellas. Ahora tendría que decirles la verdad. ¿Cómo recibirían esta noticia?

# 12

# Revelaciones tiernas

Cuánto deseaba que les hubiera dicho a mis hijas mi secreto! Pero había pensado que no había razón para ello. ¿Qué resolvería? Era sólo un episodio incompleto de mi vida, uno sin resolución. ¿No tiene todo el mundo alguna cosa secreta en su pasado? ¿No tiene cada mujer uno o dos secretos vergonzosos? Yo había razonado que mi experiencia sólo instigaría un temor poco saludable a las relaciones y una desconfianza de los hombres. Pero ahora, ¿qué ocurriría si las niñas se sentían heridas deseando que se les hubiera dado la oportunidad de amarme, aún más allá de mis secretos?

Ahora empezaba a darme cuenta de que esa decisión había sido equivocada. Debía haber sabido no guardar el secreto. Muy a menudo había visto a personas cometer el error de no tratar con un problema abiertamente y aparentar que todo andaba bien. Una mujer que estaba saliendo con alguien aparentaba que no era divorciada. Un hombre de negocios escondía de sus socios una bancarrota pasada. Una esposa escondía de su esposo sus cuentas sobregiradas. Un esposo evitaba comunicar a su esposa sus sentimientos de sentirse insuficiente. Los padres de un hijo adoptado fingían que eran los padres naturales. En cada caso, el descubrimiento de la verdad sólo complicaba las cosas e intensificaba el dolor, mientras que si se hubiera confesado sinceramente al principio, habría podido más bien fortalecer la relación.

Era demasiado tarde para pensar ahora en lo que debía haber hecho. Necesitaba contar mi secreto a mis hijas. Hal llamó a Pam a su oficina y le pidió que viniera a la casa después del trabajo.

— ¿Es algo malo? — preguntó —. Debe de haber alguna mala noticia.

— No te puedo decir ahora mismo. Pero ven en seguida que salgas del trabajo. Vamos a pedirle a Sandi que haga lo mismo.

Cuando Hal llamó a Sandi, ella preguntó:

— ¿Conseguiste una promoción? ¿Te vas a mudar para Washington D.C.?

— No, no — replicó él —. No nos vamos a mudar. Pero necesitamos hablar contigo y con Pam, así que, por favor, ven esta noche.

Hal llegó a la casa a media tarde, y lo puse al día acerca de mi conversación telefónica con Julie. Él estaba preocupado acerca de la reunión con las muchachas.

— Tienes que darte cuenta de que están esperando algo malo. Recuerda que dos veces las he llamado a una reunión familiar como ésta, y he comenzado con: 'Tu madre ha estado muy enferma . . .' No hay ninguna duda de que están aprensivas. Han perdido ya a dos madres, así que tal vez no se sientan muy emocionadas cuando se enteren de que ellas no son tus únicas hijas.

Me dolía darme cuenta de lo insensible que había

sido. Yo había sabido esto por más de veinte años y Hal por once. Habíamos tenido tiempo de ajustarnos. Pero Pam y Sandi no tuvieron esta ventaja. ¿Cómo podían ellas posiblemente imaginarse la conmoción de que alguien entrara en su vida, alguien que ellas no habían sabido que estaba entre las sombras durante todos estos años?

Esa tarde los cuatro nos sentamos en el estudio. El temor y la preocupación me desgarraban mientras empezaba a relatar la historia de lo que me había sucedido cuando tenía dieciocho años. Pam y Sandi mantenían sus ojos clavados en mí mientras luchaban por contener las lágrimas. Cuando terminé la historia con la llamada telefónica que había hecho esa mañana, hubo un silencio total. Se había lanzado la bomba.

Finalmente, no pude soportarlo por más tiempo.

— ¿Qué piensan ustedes? — pregunté —. Háblenme. ¿Qué tienen que decir?

Sandi, la más joven, habló primero.

— ¡Yo pienso que es estupendo, mamá! Es como las telenovelas. Sé que no te gustan, pero así es la vida. Se añade un nuevo personaje dentro de la historia como la bebé de la protagonista. ¡Es una gran historia!

*Bueno, esto aligera mi carga*, pensé. *Por lo menos ella ve algo divertido en esto*. Pero entonces quizás su humor era sólo una manera de reducir la tensión. Ella era siempre capaz de ver el lado más alegre de las cosas.

Mientras tanto, Pam estaba sentada silenciosa, proyectando todo lo que esto significaba para el futuro de la familia. A diferencia de su madre, Pam siempre ponía a funcionar la mente antes que la lengua.

— Bueno, yo no pienso que es tan estupendo — dijo ella llorosa finalmente —. ¿Por qué no nos contaste acerca de esto antes?

Sentí que mis palmas sudaban y mi estómago se revolvía. Se sentía un calor abrasador en el cuarto. Pam continuó con lágrimas:

— Debías habernos dicho antes. ¿Qué esperas que digamos? ¿Que estamos arrebatadas de alegría?

Mis temores se estaban haciendo realidad. Me sentía aplastada de que no pudieran compartir mi gozo. Trataba de escuchar mientras las emociones de nuestra reunión comenzaron a aumentar en un sinnúmero de preguntas.

— Ella no va a venir aquí, ¿verdad? Se va a quedar en Michigan, ¿no es cierto?

— No hablamos de eso — contesté nerviosamente —. Ella tiene una familia, así que me imagino que permanecerán en Michigan.

— ¿Tenemos que conocerla? ¿Ella te va a decir 'mamá'?

— No tienen que conocerla.

En este punto la discusión menguó hasta desaparecer.

Hal cerró diplomáticamente nuestro tiempo juntos diciendo:

— Su madre y yo no esperamos que iban a saltar de alegría con esta noticia. Pienso que debemos darles tiempo para que lo piensen bien y entonces hablaremos de eso en otra oportunidad.

Cuando mis hijas salieron de la casa esa noche, las abracé y les dije otra vez que las amaba. Yo podía ver por la expresión en sus ojos y sus abrazos vacilantes que esto era más difícil para ellas de lo que Hal o yo habíamos esperado. Mis hijas habían perdido ya a dos madres. ¿Estarían temerosas de perder a una tercera mamá por causa de la "hija verdadera"?

Aunque eran adultas e independientes, temían que una hija natural entrara en el escenario haciendo cabriolas como una princesa perdida, con la primera nieta, y tomara el lugar de ellas en mi corazón. Todo era muy repentino e irreal para ellas. Sus reacciones eran razonables, y yo sabía que detrás de sus sentimientos había corazones llenos de amor por mí. Habíamos sido entretejidos como una familia sin importar quién era la madre natural de quién.

Esa noche fui a la cama con una carga de aprensión. "Señor, sé que hiciste suceder esto y sé que obrarás y lo llevarás a feliz — oré —. Por veinte años cuando no me preocupaba, cuidaste de todas las cosas. ¿Por qué pensar que mi preocupación ayudará ahora? Tengo que confiar en que obrarás también ahora."

Algo difícil de aceptar era el hecho de ser abuela. Le expresé esto a Hal, y él dijo en su estilo típico y directo:

— Bueno, eso no me hace a mí abuelo. Esa niña no fue mi hija. No tuve nada que ver con eso, así que yo no soy abuelo.

Me preguntaba si ésta era una expresión de resentimiento o simplemente estaba negándose a admitir que ambos estábamos envejeciendo. O quizás era que él había esperado largamente el día en que una de sus propias hijas le regalara un nieto.

Pero Hal me apoyaba en mis continuadas comunicaciones con Julie. Las llamadas telefónicas, junto con cartas entre Michigan y California, comenzaron a llenar la brecha de veinte años. Cada nueva pieza de información revelaba cuán fiel Dios había sido en velar por esta bebé que yo había entregado a su cuidado.

En una conversación, titubeando le pregunté a Julie si ella sufría o no de las muchas debilidades físicas que eran aparentes en mi familia.

— ¿Tienes algún problema de sinusitis? — pregunté.

— No — replicó.

— ¿Algún problema intestinal, como con la digestión?

— No, no creo.

— ¿Artritis?

— No que yo sepa. Estoy muy joven todavía y estoy muy bien de salud.

Me sentí agradecida de que ella parecía no haber heredado ninguna de mis debilidades físicas. Y secretamente pensé que quizás por no haberla criado yo, también había evitado algunas de mis debilidades no físicas, tales como una vena de obstinación en mi carácter y una tendencia a hablar demasiado.

Había un aspecto de gran desacuerdo entre Hal y yo. Hal insistía en que yo tenía que decirle a Julie que ella era el producto de una violación. Yo no estaba de acuerdo.

— ¿Cómo puedes decirle a alguien que fue concebida bajo circunstancias tales como las que experimenté yo? — le pregunté.

— Porque tienes que dejar claro que tú no eras el tipo de muchacha que andabas durmiendo con cualquiera y fuiste sorprendida — me contestaba.

— ¿No entiendes lo que esto significaría para Julie? Podría ser devastador.

— ¿Y qué si ella se entera de otra manera? ¿Cuánto más la heriría?

Ser "sincera" era una cosa. Decir la verdad brutal era otra. ¿Era Julie una joven delicada que podría ser destruida por el pensamiento de que su vida comenzó bajo la nube del ataque de un violador? ¿Podría yo arriesgar la destrucción de cualquier sentimiento de valor personal y propósito en la vida? ¡No! No correría ese riesgo.

Afortunadamente, Julie no había hecho más preguntas acerca de su padre natural. Quizás no deseaba avergonzarme o poner ninguna tensión en nuestra relación en desarrollo. Con todo, Hal sentía muy fuertemente que mi reputación e integridad podían ser dañadas con Julie si ella no sabía la verdad. De mala gana convine en permitir que él hablara con el esposo de Julie. Una noche estábamos los dos hablando en el teléfono con Julie cuando Hal pidió hablar privadamente con su esposo, Bob.

Cuando vino Bob, Hal preguntó:

— ¿Está Julie en el teléfono contigo?

— No.

— Bueno, porque hay algo que necesito decirte. Tiene que ver con la concepción de Julie. Las circunstancias que la rodearon no son muy hermosas. Lee fue atacada. ¿Entiendes lo que quiero decir?

Después de una larga pausa, respondió:

— Creo que entiendo lo que quieres decir . . . o por lo menos, en parte.

— Bueno, no sabemos si debemos decírselo a Julie. Realmente, no sabemos *cómo* decírselo. ¿Podemos dejarlo en tus manos como su esposo? Tú puedes decírselo cuando y como pienses que es mejor para Julie.

El silencio del otro lado de la línea no fue dorado. Finalmente no pude soportar más.

— Bob, ¿estás ahí? ¿Cuál es tu reacción?

Con gran emoción respondió:

— Sólo pensar que . . . eso pasó hace más de veinte años . . . simplemente para darme a mi Julie . . .

Mientras su voz se desvanecía, me conmoví con la
realidad de lo que él había dicho. Estábamos tratando
con un hombre cristiano maduro y perspicaz que sería
capaz de traducir de manera sensible a su esposa las
circunstancias de su concepción.

En una de mis cartas a Julie incluí el siguiente
poema. Ella lo apreció e hizo copias para su familia:

## El legado de un hijo adoptado

Una vez hubo dos mujeres
    que nunca se conocieron;
a una no la recuerdas,
    a la otra le llamas madre.

Una te dio la nacionalidad,
    la otra te dio un nombre;
una te dio la semilla del talento,
    la otra te dio una meta.

Dos vidas diferentes conformadas
    para hacer tu sola vida;
una vino a ser tu estrella guiadora,
    la otra vino a ser tu sol.

Una te dio emociones,
    la otra calmó tus temores;
una vio tu primera dulce sonrisa,
    la otra secó tus lágrimas.

La primera te dio vida y
 la segunda te enseñó a vivirla;
la primera te dio la necesidad de amor,
 y la segunda estuvo allí para dártelo.

Una te entregó,
 eso era lo único que podía hacer;
la otra oraba por un hijo,
 y Dios la guió directamente a ti.

Y ahora tú me preguntas a través de tus lágrimas
la vieja pregunta de todos los tiempos:
herencia o medio ambiente: ¿de cuál de los dos
 eres el producto?
De ninguno, querido, de ninguno.
 *Simplemente de dos diferentes clases de amor.*

— Anónimo

Cada vez más me preguntaba cuándo Julie y yo
debíamos tratar de conocernos cara a cara. Mientras
Hal y yo lo considerábamos, noté que él estaría en
Washington D.C. la segunda semana de febrero para
una convención.

— Julie cumplirá veintiún años — le dije a Hal —.
¿Por qué no invitamos a Bob y ella a reunirse con
nosotros por unos días?

Hal estuvo de acuerdo y se lo propusimos a Bob y
a Julie, quienes aceptaron la invitación. Ahora que se
acercaba nuestra primera reunión, mis temores iban
en aumento. Después de todo, Julie había tenido tres
años y medio para adaptarse a la idea de encontrarme.
Pero mis hijas habían tenido sólo algunas semanas y
todavía no parecían encantadas con la idea. Y para mí,

veinte años no eran tiempo suficiente para aceptar el hecho de que mi bebé era una mujer hecha y derecha a punto de cumplir veintiún años.

Yo estaba preocupada acerca de si debía permitirle que me llamara "mamá". Por causa de la reacción inicial de Pam y Sandi, quería ser cautelosa, aunque todo dentro de mí gritaba: "Sí, llámame 'mamá'. ¡Soy tu mamá!" Pero entonces, ¿qué si ella no quería? ¿Y qué si yo no le agradaba a Julie? ¿O qué si ella no me agradaba a mí? ¿Qué haría yo si ella no se parecía a mí sino que se parecía más a su padre natural? ¿Y cómo se sentirían sus padres acerca de esta reunión? ¿Interferiría esto con la vida que ellos tan bien habían educado?

Antes de salir para Washington, fui a comprar una tarjeta de cumpleaños para Julie. En seguida me di cuenta de que ninguna tarjeta parecía adecuada para la ocasión:

Para NUESTRA hija . . .
Qué gozo nos has traído siempre . . .
¡Mamá y papá están orgullosos de ti!

Aturdida por las tarjetas, me di por vencida y caminé hacia el departamento infantil para comprar un regalo para la hija de Julie. Mientras llevaba un gracioso vestidito al mostrador, una señora a mi lado me preguntó en su mejor voz social:

— ¿Es para su pequeña?

Sentí que mi rostro se ruborizaba mientras balbuceaba, por primera vez:

— No, ¡es para mi n-n-nieta!

# 13

## Cara a cara

A pesar de toda la emoción que rodea la convención de Radio y Teledifusores Religiosos Nacionales, tuve dificultad en concentrarme. Era una lucha constante tratar de responder de manera inteligente a las personas que inquirían acerca de mi programa de radio *Reflexiones*. Cada noche cuando regresaba al hotel, mis pensamientos se desviaban a Julie y Bob, y me preguntaba cómo resultaría nuestro encuentro. Estaba particularmente curiosa acerca de si reconocería a mi hija. ¿Hubiera podido distinguirla si pasaba por mi lado en la calle? ¿Se parecería a mí o más a su padre natural? Mi curiosidad era insaciable.

Con nuestra reunión a menos de veinticuatro horas, descansaba en el hotel y pensaba que Bob y Julie estarían ahora preparándose para salir de Michigan temprano por la mañana para hacer el largo viaje a Washington. "Señor, protégelos", oré, pensando en el severo invierno que estaban teniendo más al norte.

El teléfono sonó, y contesté. Eran Sandi y Pam. Después de un poco de conversación trivial, Pam dijo:

—Sabemos que vas a encontrarte con Julie mañana. Sabes que hemos luchado con esto, pero nos sentimos mejor ahora. Sólo que no queríamos que se alterara nuestra familia.

Sandi continuó:

— Pero tenemos suficiente entendimiento espiritual para saber que esto es algo que ha hecho Dios. No queremos estorbar sus planes. Es entre Él y ustedes realmente. Así que hemos convenido en que debes permitirle que te llame 'mamá' si ella así lo desea, o hacer cualquier otra cosa con la que te sientas cómoda. Nosotras haremos nuestros ajustes. Sabemos que tú nos amas y nosotros te amamos también.

¡Qué alivio! Le di a Hal la noticia, comentando:

— ¡Dios me deja boquiabierta! Obra otra vez precisamente veinticuatro horas antes del día clave. He estado tarareando un coro hoy y qué verdadero es: 'Él hace todas las cosas hermosas en su tiempo.'

— Lo que sucede es que algunas veces su tiempo está demasiado cerca del último momento — dijo Hal con una sonrisa.

Yo había estado preocupada acerca de mi encuentro con Julie todavía luchando con el hecho de si debía permitirle que me llamara "mamá". Si no se lo permitía, ¿no sería el extremo rechazo que había temido toda su vida? Era una cosa ser rechazada al nacer por una madre desconocida, pero ser rechazada como una persona adulta por su madre de nacimiento sería peor. Así que agradecí la oportuna llamada de mis hijas y el alivio que me causó.

La noche siguiente regresé a mi cuarto del banquete de clausura de la convención, emperifollada con una blusa de lentejuelas de mi amiga Alyson. Hal estaba esperándome y mientras abría la puerta dijo:

— Están aquí.

— ¿Aquí? ¿En nuestro cuarto? — dije aterrorizada.

— Al lado — dijo Hal, señalando la puerta de la otra habitación.

Miré fijamente la puerta por un momento, sabiendo que la persona que era mi carne y mi sangre estaba esperando detrás de ella.

— Julie llamó y quiere venir a nuestro cuarto tan pronto como estés lista.

— No puedo encontrarme con ella con esta facha.

Yo temía que mi vestuario llamativo le diera una imagen "a lo Hollywood" e irreal de mí. Eso no era lo que yo quería trasmitir. Rápidamente me quité la ropa lujosa y me puse blusa y pantalones cómodos. Normalmente esta ropa aligeraba mi tensión, de manera que me sentía relajada, pero no fue así esta noche. No hizo nada para calmar mi tensión, ni tampoco todos los ensayos imaginarios que había practicado mentalmente mientras me preparaba para este momento.

Con las palmas sudorosas y temblando por dentro, di un paso hacia la puerta y toqué.

— Julie, ¿estás ahí?

Una voz tímida replicó:

— Sí. ¿Podemos entrar?

Al abrirse la puerta, una marejada de sentimientos me corrieron como ondas de pies a cabeza. Por la puerta cruzó una mujer que lucía sorprendentemente como yo cuando tenía su edad. Ahora me sentí avergonzada de mi atuendo casual. ¿Cómo hubiera podido yo saber que al otro lado de la puerta Julie se había vestido de gala para la ocasión con un vestido nuevo de crepé negro que había comprado específicamente para este momento? Se había arreglado el pelo, se había puesto un collar de perlas y había engalanado a la niña para el primer vislumbre de su abuela.

Nos abrazamos y reímos y lloramos todo al mismo tiempo. Bob estaba tras ella, y Hal y yo saludamos cordialmente a él y a la bebé que sostenía en sus brazos. Después de los saludos iniciales, nos sentamos y nos contemplamos unos a otros con lágrimas de gozo. Por unos momentos estuvimos mudos ante la realidad de que Dios había coordinado nuestro encuentro. Nadie quería romper el silencio. Traté de encontrar indicios en el rostro de Julie que pudieran decirme cómo era ella. Finalmente, tuve que pellizcarle el brazo y decir:

— ¿Está sucediendo esto en realidad?

— Sí — dijo ella riendo —, ¡está sucediendo en realidad!

Bob repetidamente susurraba:

— Esto es grandioso. ¡Esto es estupendo! Hombre, esto es maravilloso. ¡Gloria al Señor!

Sólo el llanto de la bebé trajo nuestra atención de vuelta a la realidad.

Después que se atendieron las necesidades de la bebé, nos acomodamos otra vez en los sofás, y comencé a notar las semejanzas de la apariencia de Julie a la mía. Aparte de un chichón en mi nariz causado porque mi padre me dejó caer cuando era bebé (y mis arrugas), nuestros rasgos faciales eran similares. Su cabello y sus ojos oscuros y su amplia sonrisa me hacían pensar que estaba mirando mi reflejo en un estanque. Su voz suave y su risilla tenían un sonido familiar.

Conversamos de trivialidades durante un rato. Luego Julie trajo algunos álbumes de fotos que contenían recuerdos de la niñez. Había fotos de Julie en las Navidades vestida con vestiditos rojos rizados y en Pascua con un gracioso vestido nuevo de primavera para ir a la iglesia. Había fotos de ella con sus juguetes de bebé y triciclos y bicicletas. Y desde luego había fotos de la familia y pude ver por primera vez a los Anderson, la pareja especial que habían sido los padres de mi bebé.

Con cada foto, Julie desarrollaba más de la historia de los pasados veintiún años. Supe acerca de sus hermanos mayores Jim y también Rick, que ahora era pastor en Bakersfield, California. Descubrí que su padre era un trabajador de la construcción que ayudaba a construir la armazón de acero de muchos de los rascacielos de Los Ángeles. Su madre hacía la mayoría de los vestidos de Julie, algo que conmovió mi corazón, porque yo no sabía coser. En todas las fotos, Julie aparecía contenta. Era obvio que se sentía muy segura y era amada cuando niña.

Cuando vi las primeras fotos de Julie y Bob, pregunté acerca de su romance.

— Nos conocimos en una cafetería cristiana en Cheboygan — dijo Julie —. Yo tenía dieciséis años y fui allí una noche con una amiga para escuchar música cristiana. Bob era el maestro de ceremonias. Él organizaba los grupos musicales y los presentaba. Fue a mi mesa y comenzamos a hablar. Bob tiene ocho años más que yo, pero congeniamos de inmediato. Comenzamos a salir y entonces decidimos casarnos.

— ¿Qué los convenció a casarse?

— Bob y yo sabíamos que era la voluntad de Dios y convencimos a mis padres, y dijeron que estaba bien.

Me impresionaba ver que para Julie era tan normal permitir que Dios controlara su vida. A su edad yo estaba tratando esencialmente de sobrevivir.

— Bob, ¿todavía trabajas en la cafetería?

— No, manejo un camión de una compañía embotelladora de refrescos que está cerca. Julie, ¿le dijiste algo a Lee acerca de la casa que vamos a construir?

— Vivimos en una casa de remolque en un solar de casi una hectárea a unos quince kilómetros del pueblo. Estamos en el bosque y estamos en el proceso de talar los árboles. Tenemos nuestro propio pequeño aserradero y planeamos construir una casa de troncos.

Mientras la bebé dormía, nosotros cuatro perdimos noción del tiempo. Poco después de medianoche nos dimos cuenta de que necesitábamos detenernos y descansar un poco. Pero Bob se puso de pie y dijo:

— Me gustaría decir algo. Lee, quisiera darte las gracias por no abortar a Julie. No puedo ni siquiera imaginar qué sería mi vida sin ella . . . y mi bebé.

¡Qué momento tan tierno fue éste cuando todos nos abrazamos en un abrazo comunal! Estaba tan agradecida de que ninguna "clínica gratis" había estado accesible para tentarme en aquellos años.

Al día siguiente Julie cumplió veintiún años, y lo celebramos con una velita en un pastelito, porque éste era su primer cumpleaños en mi vida. Entonces salimos a comer fuera y durante la noche expresé mis aprensiones de "antes de encontrarme con Julie".

— Me preguntaba si Julie entraría en mi vida dando giros como una estrellita de una comedia musical. ¿O sería ella una pobre alma, deprimida por sus circunstancias y deseando escapar? ¡Pero ninguna de las dos es cierta! Eres tan hermosa. ¡Es una delicia estar contigo!

Julie dijo que tenía sus propios recelos acerca de nuestro primer encuentro.

— Bob y yo tuvimos tres años y medio para considerar con qué tendríamos que tratar cuando te encontráramos, y . . .

Era obvio que ella se sentía un poco avergonzada ahora de admitir:

— ¡Nos preguntábamos si encontraríamos una vagabunda y terminaríamos teniendo que traerla a nuestra casa para siempre!

Con esto ambas comenzamos a reírnos al darnos cuenta de que habíamos estado abrigando pensamientos similares.

Durante los próximos días visitamos los lugares de interés de Washington. Hal tenía negocios que atender durante el día, así que Bob, Julie, la bebé y yo nos abrigábamos bien y desafiábamos el frío para ver el Capitolio, la Casa Blanca, los monumentos alrededor del Paseo del Capitolio, el Instituto Smithsonian y otros lugares turísticos.

— Créalo o no, esto parece caliente para nosotros — dijo Bob un día —. Allá donde vivimos están batallando con varios pies de nieve.

Entonces Julie añadió:

— ¡Pero la verdadera razón que está tan contento de estar aquí es que éste es el primer viaje de Bob fuera de Michigan!

La mayor parte del tiempo estábamos tan abrumados por la emoción de la experiencia que no podíamos hacer mucho más que reír y pellizcarnos unos a otros. Esto no parecía real. Estábamos conmovidos al darnos cuenta de que Dios había sido suficientemente fiel y poderoso para coordinar cada detalle de nuestra vida. Muchas veces terminábamos simplemente diciendo: "¡Dios es tan bueno!" mientras se colocaba otra pieza de información en el rompecabezas.

Un día durante el almuerzo inquirí acerca de la iglesia a la que Julie había asistido en el Valle de San Francisco antes que su familia se mudara a Michigan. Resultó ser una pequeña iglesia a la que mi hermana Zoe había asistido de cuando en cuando.

— ¡Mis sobrinas y sobrinos pueden haber asistido a la misma clase de escuela dominical! —señalé.

Pregunté acerca de cómo Julie había conocido a Cristo, y ella replicó:

— Siempre me he sentido cerca de Dios. Recibí a Cristo en esa pequeña iglesia cuando era una niña pequeña y entonces hice una entrega más profunda a Él después que Bob y yo nos casamos.

La familia de Julie se mudó a Michigan cuando ella estaba en el séptimo grado. Fue entonces que aumentó su actividad en la música.

— ¡Apuesto que cantas contralto! —dije.

— ¡Sí! —dijo sonriendo—. Supongo que eso es lo que cantas tú también. ¿Qué tipo de canto has realizado? —preguntó Julie.

— Bueno, he cantado en coros. Después de mi conversión he cantado algunos solos en iglesias. Siempre me ha gustado hacer comedias musicales en la escuela y producciones en teatros comunitarios. El punto culminante de mi carrera fue cuando hice el papel de Golde, la mamá, en una producción de escena de 'El violinista en el tejado'. Tuve la oportunidad de cantar algunas buenas canciones en eso.

— ¡Amanecer, atardecer!

— Y '¿Me Amas?', canté, imitando el acento judío en la escena donde Reb Tevya y Golde descubren que ellos en realidad se aman mutuamente . . . después de veinticinco años. ¡Y después de veinte años Julie y yo estábamos descubriendo lo mismo!

Julie se rió de mi imitación de la mamá judía y entonces me contó acerca de su actividad musical en la iglesia.

— Canto en el coro de la iglesia y en un trío, y también en un conjunto especial. No he tenido tu experiencia como actriz, salvo por algunas producciones de temporada en nuestra iglesia. Creo que recibía el mayor gozo cuando visitábamos los hogares de ancianos y los veíamos alegrarse cuando cantábamos.

Un día mientras caminábamos por el Paseo de Washington, cobré valor para preguntarle a Julie cómo se sentía acerca de su padre natural.

— Bob me contó lo que le dijiste acerca de mi concepción — dijo.

— Y, ¿cómo te sentiste acerca de eso? — pregunté.

Ella vaciló antes de decir:

— Durante tres días fue muy difícil para mí. Me sentí profundamente herida.

Me detuve, y entonces osé decir:

— ¿Y qué pasó después de los tres días?

— Finalmente decidí que fue Dios el que quiso que yo naciera.

Caminamos llorosamente en silencio por algunos momentos mientras yo meditaba en lo que ella había dicho. Finalmente comenté:

— Parece que entiendes el mensaje del Salmo 139, que Dios nos formó en el vientre y nos conocía antes que naciéramos. ¡Creo que hemos estado leyendo el mismo libro!

— Sí, ¡eso es! La Biblia me ha convencido de que no fui un accidente, sino que Dios tuvo la intención de que yo viviera con un propósito.

Yo respondí:

— Y uno de los propósitos fue que yo llegara a conocerlo a Él.

Fue una gran emoción explicarle más acerca del gozo que experimenté mientras ella crecía dentro de mi cuerpo, porque al mismo tiempo la vida de Cristo estaba creciendo dentro de mí a pasos agigantados.

Pareció natural que Julie comenzara a llamarme "mamá" y aun "abuela" cuando le hablaba a su bebita. Yo tenía a Casey en mis brazos mientras hacíamos cola en la Casa Blanca cuando una mujer amistosa detrás de mí preguntó:

— ¿Quién es ésta?

Torpemente respondí:

— Esta es mi . . . nieta.

Cuando las palabras de mi boca llegaron a mis oídos, la realidad me sacudió. ¡Era realmente cierto!

La última noche de nuestra visita, mientras comíamos, Bob preguntó:

— ¿Cuál es el significado de todo esto, Lee? ¿Por qué decidiría Dios hacer esto?

Sentí que Bob tenía algo específico en mente, así que no traté de responder.

— ¿Tienes alguna idea? — le contesté.

— No creo que Dios arregló y coordinó todo esto para satisfacer nuestra curiosidad sencillamente. Tiene que haber algo más. Tú eres una conferenciante y autora cristiana. Me pregunto si Dios lo ha permitido porque quiere que escribas acerca de esto. Quizás esta historia podría dar esperanza a las personas al ver la fidelidad de Dios.

— Definitivamente es una demostración de la fidelidad de Dios — observé —. Quizás Él en realidad quiere que yo escriba un libro. Tendremos que esperar y ver. En este momento sólo quiero disfrutarlo todo.

Había otra preocupación que considerar.

— Julie, ¿cómo se sienten tus padres acerca de esto ahora que nos hemos conocido personalmente?

— Creo que se sienten muy bien — dijo Julie —. Se dan cuenta de que no intentas hacer una gran interrupción en su vida. Creo que se sienten tranquilos y sienten que podemos tener una relación buena y significativa.

Habíamos tenido un tiempo maravilloso juntos y nuestra partida fue llorosa. Mientras acomodábamos a Bob y Julie y la bebita en el auto para el viaje a casa, le pregunté a Julie:

— ¿Qué haremos después de esto?

— Mantengámonos en contacto y veremos lo que pasa — dijo Julie —. Quizás en alguna ocasión puedas conocer a mi familia.

— Eso significaría mucho, si es que ellos se sienten cómodos.

Entonces nos abrazamos y los miramos mientras salían de la entrada. Mientras captaba un último saludo de Julie, susurré:

— Gracias, Señor, por permitirme vislumbrar *tu* lado del tapiz.

# 14

## Encajando las piezas

Habíamos volado casi dos horas fuera de Washington D.C. Las aeromozas estaban recogiendo las bandejas de la comida para poner la película. Hal estaba ocupado a mi lado poniéndose al día con sus papeles y dictados. Mientras miraba por la ventana, mi mente era una neblina. Durante los últimos días había visto un "sueño imposible" hacerse realidad. Una parte de mi pasado que había considerado cerrada había regresado, no para atormentarme sino para bendecirme. Dios le había dado vuelta al tejido y me había permitido una vislumbre del lado terminado.

Mientras pensaba en mi experiencia, una canción persistía en venir a mi mente. Era del musical "El nuevo pacto", de John Fischer, y yo había memorizado las palabras porque significaban mucho para mí.

> Todos sufrimos heridas.
> Parece que siempre terminamos
> boca abajo con el rostro en el polvo.
> Y acosados por el dolor,
> simplemente permanecemos
> satisfechos de ser heridos otra vez.

Cerramos nuestra mente al significado
de la locura que encontramos.
Preferimos escondernos;
rara vez tratamos de averiguar
exactamente por qué existe el dolor.

Pero si hay algo que necesitas saber,
es que las heridas sólo te hacen crecer,
y que el dolor que sientes
es el primer paso para ser sanado.

Pero hay algo que tienes que hacer,
es quitar los ojos de ti,
ponerlos en el Señor,
y Él hará del dolor una *puerta abierta*.

¿Cuál era el mensaje de mi encuentro con Julie? Esta canción lo expresaba. Todos somos heridos alguna vez en nuestra vida y debemos escoger si vemos o no el significado que nos presenta Dios en la locura. Mientras reflexionaba acerca de mi andar espiritual, verdaderamente había desechado mi autocompasión y puesto mis ojos en Dios. Él en realidad había convertido el dolor en una puerta abierta hacia una relación vital con Él y ahora estaba abriendo puertas de servicio útil para Él.

Pensé en mis compromisos para hablar que estaban ya programados durante los próximos meses. Conduciría retiros y hablaría a grupos de mujeres, y además grabaría diariamente un programa de radio. Cada una de mis oyentes sufría sus propias heridas. Quizás no habían tenido que pasar por una violación sexual ni habían tenido que dar un hijo en adopción, pero muchas podían expresar heridas y desilusiones más profundas que las mías. Sufrían el dolor del divorcio, o de un problema de salud crónico, o de un hijo retrasado, o de un revés económico, o de rechazo de un ser querido o un amigo . . . la lista era interminable. Algunas eran víctimas, otras habían causado su propio dolor. ¿Qué había aprendido yo que pudiera alentar a todas estas personas?

Tomé mi cartera, saqué un cuaderno de notas y la Biblia y comencé a escribir mis pensamientos. En el encabezamiento de la página en blanco escribí "Piezas perdidas". Había pensado retrospectivamente en el horrible día en que mi vida era como un complejo rompecabezas al que le faltaban varias piezas importantes. En aquel entonces me había preguntado si Dios me podría mostrar cómo armarlas todas otra vez.

La maravilla de mi encuentro con Julie fue que una pieza original que faltaba se había puesto nuevamente en su lugar. Sin embargo, no todo el mundo es tan afortunado. No todo el mundo puede decir que se ha llenado su hueco vacío. ¿Qué podía yo decirles a estas personas?

Podía decirles que mi vida estaba completa *antes* que viera a Julie. Claro, ella había sido una pieza perdida de mi vida, pero se había llenado ese vacío aun antes que yo la conociera. ¿Qué material había usado para llenar ese vacío? Fui anotando algunos de los ingredientes clave.

Pieza número uno: RENDICIÓN. Todo había comenzado en la Cruzada de Billy Graham donde recibí a Cristo como mi Salvador. En cierto sentido no había entendido realmente en ese momento que había rendido mi vida al control de Dios. Lo imagino ahora como las películas de guerra donde he visto que los soldados ondean una bandera blanca, tiran sus armas y se rinden al lado ganador. Eso era lo que yo necesitaba hacer: rendir mi vida y ceder a los propósitos de Dios para que Él pudiera encajar todas las piezas de mi rompecabezas.

Todos experimentamos dificultades a través de nuestra vida y debemos aprender a rendir nuestras protestas de "injusticia", nuestros sentimientos de "yo no merezco esto". También debemos abandonar nuestra ira, nuestros deseos de "desquitarnos" y nuestra autocompasión. El crecimiento espiritual y emocional es el resultado de esta rendición.

Pieza número dos: ENTREGA. Al encomendar la experiencia de mi violación sexual al Señor, no podía imaginar en ese momento que también estaba encomendando una pequeña vida que se estaba formando dentro de mí. Muy pronto aprendí que la entrega de nuestras experiencias no cancela los efectos, pero sí se ingresan las consecuencias en la computadora divina para coordinarlas con el desenlace. Leo en la segunda carta de Pablo a Timoteo: "Por ese motivo soporto estos sufrimientos. Pero no me avergüenzo, porque sé a quién he creído, y estoy convencido de que *tiene poder* para guardar lo que le he *confiado* para aquel día" (2 Timoteo 1:12, NVI).

Pensé otra vez en mi batalla con la trabajadora social. Yo estaba decidida a hacer todo lo que podía por colocar a mi bebé en un hogar cristiano. Y Dios había honrado ese compromiso, obrando donde yo no podía para contestar mi oración. Así que yo animaría a las personas a entregar a Dios no sólo "la pieza del sufrimiento" de su vida, sino todo el rompecabezas de su vida: su situación económica, su carrera, su matrimonio, su futuro.

Pieza número tres: PERDÓN. El recuerdo del sombrío cuarto del motel permanecía vívido. Allí me había dado cuenta de que podía guardar resentimientos justificados contra todos los que me habían herido, pero a la vez ser destruida en el proceso. O podía obedecer a Dios y perdonar a los que me habían causado dolor y Dios me perdonaría a mí. ¡Qué paz me había inundado esa mañana cuando me liberaba de toda la amargura reprimida! Por primera vez había experimentado verdaderamente la libertad de una relación sin obstáculos con Dios. Es el espíritu perdonador el que permite al Señor hacer que "todas las cosas . . . ayud[e]n a bien" (Romanos 8:28).

Pieza número cuatro: Dé por sentado que USTED ES UN DEPOSITARIO. Ahora no era más "¿Por qué yo, Señor?" sino "Dios, ¿me estás encomendando esto?" Él no me estaba dando más de lo que yo podía manejar, sino que estaba proporcionando todo lo que necesitaba para soportar la situación. *Lo que no se puede curar se puede soportar.* Como Dios hizo con la madre de Moisés, estaba usando la situación para mi bien y para el bien de otras personas. Cuando descubrí que estaba embarazada, me di cuenta de que Dios me había encomendado esta situación y no quería defraudarlo. Dios quiere liberarnos *en* y *a través* de nuestros problemas, no *fuera de* ellos.

Pieza número cinco: ACCIÓN DE GRACIAS. Mis circunstancias no se volvieron color de rosa después que acepté el hecho de que era una depositaria de ellas. Seguía embarazada. Había ido a vivir con el Tío

Howard en condiciones menos que ideales. Pero en esa situación había aprendido que había mucho por lo que podía estar agradecida. Con ese espíritu agradecido encontré que estaba mejor capacitada para enfrentarme con las circunstancias difíciles. Ahora podía contar mis bendiciones en lugar de contar ovejas.

Pieza número seis: Entender que hay un PROPÓSITO EN EL DOLOR. Las cosas no son tan locas como parecen. El nacimiento de mi bebé fue mi primer vislumbre del propósito de Dios a través del dolor. El José del Antiguo Testamento interpretó a Dios a través de todas las injusticias, y no todo era locura. Como José, mis circunstancias habían resultado ser una bendición disfrazada. Me volví a Lucas 11 y leí estas palabras: "¿Qué padre de vosotros, si su hijo le pide pan, le dará una piedra? ¿o si pescado, en lugar de pescado, le dará una serpiente? ¿O si le pide un huevo, le dará un escorpión" (Lucas 11:11-12).

En cierto momento yo, como muchos cristianos, creí que era víctima, pensando que en lugar de pan y huevos, había recibido serpientes y escorpiones. Había reaccionado con una pregunta normal: "¿Por qué, Dios?" Pero con el tiempo aprendí una pregunta mejor: "Señor, sé que tienes algún propósito escondido en permitir que yo tenga este problema. ¿Lo atravesarás junto conmigo?"

Eso fue lo que hizo Pablo cuando tuvo su problema con el "aguijón en la carne". Tres veces le pidió a Dios que lo quitara, pero entonces aprendió que Dios tenía una razón para él: en primer lugar, para guardarlo de enorgullecerse, y en segundo lugar, para mostrar el poder de Dios en la debilidad de Pablo. A través de esa experiencia Pablo aprendió una lección importante que lo ayudó en muchas situaciones: "Por lo cual, por amor a Cristo me gozo en las debilidades, en afrentas, en necesidades, en persecuciones, en angustias; porque cuando soy débil, entonces soy fuerte" (2 Corintios 12:10).

La vida no es sencilla; es extremadamente compleja en estos días, y no quisiera minimizar el dolor y la injusticia que sufren las personas. Me di cuenta también de que no había respuestas instantáneas; la mía necesitó más de veinte años. Sin embargo, antes de conocer todas las razones del porqué, podemos conocer la paz de Dios a pesar de las piezas que nos faltan.

Mientras revisaba mi hoja, me di cuenta de que algunas personas objetarían diciendo que no son víctimas. Pensé en una sesión de consejería que había tenido recientemente donde una mujer había protestado:

—Yo estoy sufriendo por causa de mis necias decisiones. No soy víctima. Yo tengo la culpa de mis problemas.

Yo había respondido:

—Pero es el resultado lo que cuenta. Si te rindes y te encomiendas a Dios, Él obrará contigo a pesar de tus faltas. No puedes cometer una torpeza suficientemente grande como para que Dios se frustre y exclame: '¡Ay no! No puedo trabajar con esto.' No hay nada en tu pasado que te pueda poner fuera de servicio. Dios tejerá aun la experiencia desagradable dentro del tapiz para ejecutar su plan para tu vida. Cuando nos entregamos a Dios, no tenemos que afligirnos más bajo la culpa y vergüenza de nuestras decisiones equivocadas. Tengo amigos cristianos que se han arrepentido de relaciones extramatrimoniales, de actos de desobediencia deliberada, de abortos . . . de toda clase de errores. Ellos están ahora llevando un vida victoriosa.

Mientras el capitán comenzaba su descenso hacia el Aeropuerto Internacional de Los Ángeles, le conté mi nuevo mensaje a Hal. Él respondió:

— Sabes, es claro como el agua quién es el héroe de esta historia. No eres tú ni Julie. Hubo sólo un personaje principal que pudo realmente completar todas las partes de esta historia. Fue Dios.

— Sabes, Bob tenía razón — dije —. Esta reunión no fue por el bien de nosotros. Debe de ser que tenemos que contar la historia de la fidelidad y del poder de Dios para alentar a otros. Escribir este mensaje me ha mostrado que tendré que escribir la historia de la pieza que faltaba en mi vida. Quizá pueda exhortar a otros a no *desperdiciar* sus tristezas sino a convertir sus tropiezos en escalones.

En un sentido, me sentí tentada a pensar que todo estaba ahora en su lugar. Pero eso no era realmente cierto. Todavía había muchas preguntas no resueltas . . . piezas que faltaban. Todavía yo no había conocido a los padres de Julie. ¿Cómo se sentían ellos realmente? Mis hijas habían avanzado mucho en aceptar a Julie, pero todavía no la habían conocido personalmente. Todavía necesitaban tiempo para adaptarse a esa idea. Todo no estaba primorosamente finalizado al estilo de la historia de Cenicienta. En un sentido estaba contenta de desconocer el futuro, porque o lo desearía o lo temería.

Pensé en el versículo del libro de Deuteronomio

que dice: "Las cosas secretas pertenecen a Jehová nuestro Dios; mas las reveladas son para nosotros" (Deuteronomio 29:29). Algunos aspectos de mis experiencias eran todavía un secreto, pero Dios me había revelado algunas cosas a través de mi dolor. No sucedió en una noche. No es como el pudín instantáneo, o el café instantáneo, o las transacciones bancarias instantáneas. Estamos tan acostumbrados a chasquear los dedos y encontrar la combinación correcta y el cambio instantáneo. Pero nuestras "fórmulas" no dan resultado siempre con Dios. Esa es la razón por la cual provee respuestas *internas* aun cuando nuestras preguntas *externas* permanezcan. Dios quiere víctimas victoriosas y puede usar consejeros con cicatrices.

Más que mis escasos estudios, mis años en la escuela de los reveses y las lecciones que he aprendido en ella ahora me califican para ayudar a otras personas como una sanadora herida. Mis heridas eran ahora cicatrices, porque las heridas de mi pasado ahora estaban sanas. Pero el consuelo que el Señor me dio es lo que Él quería que yo compartiera con otras personas también.

Mientras el avión aterrizaba, pensé otra vez en el coro "Él hace todas las cosas hermosas en su tiempo." Había sido el tiempo perfecto de Dios para restaurar magistralmente mi pieza perdida. Y ahora yo sabía más profundamente que nunca antes que Dios puede hacer todas las cosas hermosas en *cada* vida herida. Él dará su paz a pesar de nuestras piezas perdidas.

# enriquezca su vida

Por medio de la lectura de buenos libros usted puede adquirir instrucción, estímulo y entendimiento espiritual. ¡Que riqueza!... Editorial Vida se la quisiera proporcionar.

En las siguientes páginas se describen excelentes libros que hemos publicado para su inspiración.

con libros de

### EDITORIAL Vida

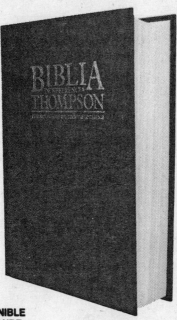

# Esperanza para las familias en crisis

*El amor debe ser firme* considera cada aspecto de las relaciones matrimoniales y examina específicamente los efectos devastadores de la infidelidad, del alcoholismo, del maltrato a las mujeres y de la indiferencia emocional.

*El amor debe ser firme* también ofrece consejos prácticos para toda persona que busca una mejor comprensión de la conducta humana y de las complejas relaciones entre hombres y mujeres. El principio de firmeza amorosa es aplicable a los hogares en crisis, a los matrimonios saludables e incluso a las personas solteras.

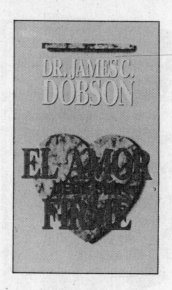